rowohlt

Georg Klein

Von den Deutschen

Erzählungen

Rowohlt

2. Auflage Oktober 2002
Copyright © 2002 by Rowohlt Verlag GmbH,
Reinbek bei Hamburg
Lektorat Ulrike Schieder
Alle Rechte vorbehalten
Satz Minion PostScript PageMaker bei
Pinkuin Satz und Datentechnik, Berlin
Druck und Bindung Clausen & Bosse, Leck
Printed in Germany
ISBN 3 498 03513 4

«Nazionalkarakter ist Manier.»
Jean Paul

Inhalt

Riesen

Chicago/Baracken

Mich hat die Kunst meiner Frau nach Chicago gebracht, und ihr Wagemut zog mich unter die schwarzen Balken der Baracken. Falls Sie Urlaubsgelüste oder die Launen Ihrer Geschäfte an die großen Seen Nordamerikas führen, liegt es in Ihrem Ermessen, ob Sie Ihren kostbaren Kopf durch denselben Türstock ins Finstere stecken. Ich rate Ihnen zu nichts – weise Sie nur darauf hin, daß der Sears Tower, eines der höchsten Gebäude der Welt, ein Aussichtsdeck besitzt. Die zwanzig Dollar, die Sie für die Auffahrt bezahlen werden, sind ein Preis, über den Sie sich nicht beklagen sollten.

Und wenn Sie dann oben, an der Seeseite, vergeblich nach einem soliden Horizont Ausschau gehalten haben, wenn Ihnen das glitzernde Süßwasser und der Himmel über den unsichtbaren kanadischen Ufern im angestrengten Starren zu einem Blaugrau verschwimmen, dann ist es Zeit, im Kreislauf der Touristen, zur landeinwärts gewandten Seite der Panorama-Etage hinüberzugehen. Lassen Sie dort – die Stirn am Glas – den Blick auf den Loop, auf das durch eine alte Hochbahnlinie klar umrissene Zentrum von Chicago, hinunterstürzen. Die Baracken, die ich meine, sind als ein kleiner, aber deutlicher schwarzer Fleck hinter den Geleisen zu erkennen.

Es hat seinen eigenen Reiz, es bringt in aparte Verlegenheiten, einen ganzen Sommer lang nur in begleitender Funktion, allein als Gatte einer bekannten Musikerin, durch die USA zu reisen. Die Kulturstiftung der Deutschen Bank, die die Auftritte meiner Frau organisierte, hatte ihr einen Tourneeleiter zur Seite gestellt. Von frühmorgens bis spät in die Nacht stand der junge Mann, gebürtiger Nürnberger und Doktor der Amerikanistik, mit Sightseeing-Angeboten und Sicherheitshinweisen in Bereitschaft. Aber vom ersten Tag an torpedierte meine Frau seine Vorschläge wie seine Einwände mit zwei kargen Sätzen, entweder mit «Mein Mann hat schon eine andere Idee!» oder mit «Mein lieber Mann paßt schon auf mich auf!». Daß beides gelogen war, konnte der wackere Exilfranke nicht wissen. Und als ihm meine Frau danach, an unserem zweiten Chicago-Tag, bei Coffee und Cream Cake erzählte, wohin es uns verschlagen hatte und was uns dort zugestoßen war, stand ihm der Mund so lange offen, daß man sich um die Feuchte seines Gaumens sorgen mußte.

Meine Frau ist Schlagzeugerin, fachgenau gesagt: Solo-Perkussionistin. Das Stück, mit dem sie in den USA auftrat, hatte ihr eine angesehene Leipziger Neu-Tönerin quasi auf Hände und Füße geschrieben. Falls Sie sich in eine Aufführung verirren sollten und wie ich zur ernsten modernen Musik schwer Zugang finden, käme Ihnen die zweistündige Suite wahrscheinlich nur wie ein infernalisches, von kurzen Ruhepausen gegliedertes Lärmen vor. Aber die bloße Anschauung würde Ihnen zumindest begreiflich machen, welche Kondition solche Solostücke verlangen. Und es müßte Ihnen einleuchten, daß es zu einer dermaßen trainierten Vortragskünstlerin paßt, ihren Mann auf exzessiven Fußmärschen kreuz und quer durch die Großstädte der Alten und Neuen Welt zu schleppen.

In Chicago hatte uns die Deutsche Bank in einem Appartement im Sheffield Historical District untergebracht. Nach Jahrzehnten des Niedergangs vibriert dieses einstige Arbeiterviertel in einem heftigen Aufschwung. Fast gleichzeitig mit den jungen Künstlern ist das Geld dorthin gekommen. Galerien und eine Vielfalt von Restaurants, Boutiquen und Accessoirelädchen säumen die größeren Straßen. Als wir am späten Nachmittag des Ankunftstages zu unserem Gang Richtung Zentrum aufbrachen, beobachtete ich, wie sich auf der anderen Straßenseite ein Mann im Plastik-Overall eine Atemmaske über das Gesicht stülpte. Dann warf er einen Kompressor an und richtete den Lauf einer Farbpistole auf die Fassade eines Backsteinhäuschens, um es bis unter die Dachrinne kanariengelb zu spritzen. Eine knappe halbe Stunde danach sind wir, nur noch drei Straßenzüge vom Loop entfernt, den Negern in die Hände gefallen.

Glauben Sie mir, ich habe, wenn die Rede auf unser Abenteuer kam, versucht, von Schwarzen, von Farbigen, von Amerikanern afrikanischer Herkunft zu sprechen. Aber stets ist dies dem Erzählen abträglich gewesen. Und als mich meine Frau einmal gar mit der Formulierung ‹drei herkulische amerikanische Bürger afrikanischer Abstammung› ringen hörte, unterbrach sie mich mit dem Zwischenruf: «Aber es waren doch Neger!» Auf jeden Fall waren es drei, und ich sah ihre Attacke nicht kommen, als wir aus der Steuben Street in die Lincoln

Avenue einbogen und das grandiose, als architektonisches Weltwunder gerühmte Hochbaupanorama des Loop bereits vor Augen hatten.

Im nachhinein hat man uns erklärt, daß die Häuser, an denen wir auf der Lincoln Avenue vorbeigingen, Überbleibsel eines ehrgeizigen städtischen Wohnprojekts der sechziger Jahre sind. Vor kurzem, zur Jahrtausendwende, war ein Drittel der zehnstöckigen Gebäude gesprengt worden, die meisten anderen hatte man geräumt, ihre Türen und ihre unteren Fenster waren zugemauert oder mit Brettern vernagelt. Nur eine Handvoll Blocks entlang der Straße wurde noch von schwarzen Familien bewohnt. Vielleicht machte mich die Musik, die aus fast jedem Fenster drang, arglos, vielleicht dachte ich, unter dem Einfluß eines deutschen Sprichworts, daß einer, der laut Musik höre, nicht gleichzeitig daran denken könne, Passanten auszurauben. Aber dann sah ich, wie drei junge Männer aus dem Fenster einer Erdgeschoßwohnung sprangen und, wunderbar locker und zweifellos zielstrebig, zu uns auf die andere Straßenseite trabten.

Nur an mir liegt es, daß man uns sofort als Touristen identifiziert. Meine Frau vermag, egal, was sie anhat, allein durch ihr forsches Ausschreiten fast überall wie eine Ortskundige zu wirken. «Schlurf nicht so!» sagt sie oft in aufmunterndem Ton zu mir oder: «Nicht glotzen, nur gucken!». Glauben Sie mir, drei große, breitschultrige Neger sind in der Lage, einen hilflos glotzenden Touristen so zu umringen, daß es erst einmal mit jedem Weiterschlurfen vorbei ist.

Einer hatte eine zerknitterte Zeitschrift aus dem Hals-
ausschnitt seines Hemdes gezogen und hielt sie mir
dicht vor das Gesicht. Alle drei redeten auf mich ein,
zupften an meiner Kleidung und schubsten mich, nicht
allzu grob, aber beängstigend gut aufeinander abge-
stimmt, hin und her. Ich verstand, daß es sich bei dem
Druckprodukt, das ich zu riechen bekam, um eine Ar-
beitslosen- und Obdachlosenzeitschrift handelte, daß
die drei Hünen dieses Heft verkauften und milde Gaben
für ein Wohn- oder Beschäftigungsprogramm sammel-
ten und daß alle Spender, vor allem die großzügigen, von
Gott gesegnet würden.

Seit sie als Künstlerin anerkannt ist und regelmäßig
ins Ausland eingeladen wird, weigert sich meine Frau,
Englisch zu sprechen. Sie sagt, als deutsche Kulturschaf-
fende, erst recht als Musikerin, sei sie verpflichtet, die
deutsche Sprache zum Erklingen zu bringen. Sogar dem
amerikanischen Kulturattaché in Peking, Mister Simon
Hardstone, den wir neulich auf der Frühlingsparty des
dortigen Goethe-Instituts kennenlernen durften, schüttelte sie mit einem herzlichen «Guten Tag, wie geht's,
Herr Hartstein!» die Hand.

Auch die drei Neger, von denen wir umstellt waren,
ging sie auf deutsch an, fragte sie, ob das Projekt, für das
sie sich engagierten, religiös ausgerichtet sei oder ob sie
das mit dem Segen Gottes eher metaphorisch gemeint
hätten. Ich bin der letzte, der meine Frau für naiv hielte.
Aber auf der Lincoln Avenue, in einem Anfall morali-
scher Schwäche, zweifelte ich doch an ihrem tausendfach
erwiesenen Wirklichkeitssinn. Ich wollte es allein rich-

ten, ich zückte mein Portemonnaie, mit ein paar Dollar gedachte ich, uns freizukaufen, und hatte vergessen, daß ich unser gesamtes Bargeld bei mir trug, daß meine Börse mit großen Banknoten gespickt war.

Meine Frau und ich, wir haben uns vor ihrer Haustür kennengelernt. Ich klingelte an dem Reihenhäuschen, das sie damals in Mannheim zusammen mit zwei befreundeten Musikerinnen gemietet hatte, um ein Paket zuzustellen. Ich weiß nicht, ob Ihnen der United Parcel Service ein Begriff ist, diese US-Firma, die der ganzen Welt, auch unserer Deutschen Post, das Päckchenverteilen vormachen will. Ich war seinerzeit gerade eine Woche dabei und fühlte mich äußerst unwohl am Steuer des ungetümen amerikanischen Lieferwagens. Warum konnte Ups das Frachtgut nicht mit Transportern von Daimler, Volkswagen, Fiat, zumindest mit in Europa gebauten Fords zustellen? Wieso wurden diese gewaltigen, mit tausend Nieten protzenden Blechungetüme über den Atlantik geschafft, und wieso war bei dieser Firma alles, auch das affig kurze Uniformjäckchen, in dem ich steckte, braun? Später sagte meine Frau, wäre ich postgelb oder gar in einem meiner karierten Freizeithemden bei ihr erschienen, hätte sie mich garantiert nicht auf einen Kaffee zu sich hereingebeten. Braun stehe mir unheimlich gut, dagegen solle ich – Ups hin, Ups her – nie anzukämpfen versuchen.

So habe ich mein United-Parcel-Service-Jäckchen über meine Kündigung hinweg behalten, und in unserem Gepäck war es schließlich zurück in sein Herstellungsland geflogen. Ich trug es, als ich auf der Lincoln

Avenue hundert Dollar für ein obskures Wohlfahrtsprojekt spendete und mich einer der Sammler, während er das Geld entgegennahm, plötzlich fragte, ob wir aus «Doitschländ» seien. Ich sehe die Lippen, die Zähne, die Zunge und den Schlund noch vor mir, die dieses Doitschländ phonetisch nicht ganz korrekt und doch unmißverständlich hervorbrachten. «Netherlands!» wollte ich lügen, «Switzerland!» oder wenigstens «Austria!», aber es war zu spät, meine Frau hatte schon geantwortet und außer Deutschland noch Berlin als unseren augenblicklichen Wohnsitz preisgegeben.

Am nächsten Tag zeigte uns unser Tourneeleiter mit zitterndem Zeigefinger auf einer Chicago-Karte, wo genau wir in die Falle gegangen waren. Die verkommenen Sozialbauten, erklärte er, füllten drei große Karrees, zwischen den abbruchreifen Blocks habe sich keinerlei Gewerbe, nicht die mieseste Kneipe behaupten können. Als letzte Bastion abendländischer Kultur sei vor einem halben Jahr ein Männerwohnheim der Heilsarmee niedergebrannt worden. Westlich schließe sich ein ehemaliges Bahngelände an, auf dem noch einige Altmetallhändler und Autoreparaturwerkstätten ein befristetes Dasein führten. Auch hier seien die Schuppen und Hallen bereits zum Abriß bestimmt. Und daß die alten Holzhäuser, die sogenannten Black Barracks, davon ausgenommen seien, halte er für unwahrscheinlich. Einen Denkmalschutz in unserem skrupulösen Sinne gebe es in den USA natürlich nicht.

Als wir, halb geführt, halb abgeführt, diese Holzbauten erreicht hatten, als ich, meiner Frau folgend, die Stufen zu einer verglasten Souterraintür hinunterstieg, war meine Panik bereits in einen verstörten Fatalismus gemündet. Wenn unsere Neger jetzt in bestem Goethe-Sprachkurs-Deutsch «April! April! Hereingelegt!» gerufen hätten, wäre es von mir nur mit einem idiotischen Seufzer quittiert worden, dem gleichen, der mir vermutlich entfahren wäre, hätte mich jener Hieb auf den Hinterkopf getroffen, den ich mir als einen alles auslöschenden Gong auf dem Weg zu den Baracken so deutlich hatte vorstellen können. Aber man berührte uns nicht mehr, man schob uns nicht einmal hinein. Eine der schwarzen Hände, vor denen ich mich umsonst gefürchtet hatte, zog die Tür hinter mir zu, und wir standen, mutterseelenallein, zu zweit, in ARNO'S ATLANTIC HARDWARE.

Ich weiß nicht, ob ich Ihnen wünschen soll, Arno kennenzulernen. Als er aus dem Hinterraum seines Eisen- und Haushaltswarengeschäfts auf uns zukam, spürte ich jenen Ganzkörperschauer, mit dem mich bis dahin nur hohes Fieber oder die wenigen wirklich überzeugenden Horrorszenen der Filmgeschichte beglückt hatten. Auch in freier Wildbahn, selbst neben den Negern, die uns zu ihm geführt hatten, mußte der alte Mann riesig wirken. Hier, unter der niedrigen Decke des Ladens, zog sein gewaltiger Schädel wie ein käsiger Mond durch einen Schwarm blitzender Meteoriten – Himmelskörper, die in kosmischer Gewitztheit die Form von Pfannen, Töpfen, Schöpflöffeln, Gießkannen und Bügelsägen angenommen hatten.

«Kaffee oder Tee?» fragte er. Und als meine Frau «Bitte, Tee! Aber nicht zu dünn, Herr Arno!» antwortete, griff er in eine Tasche seines grauen Kittels, und eine schwarzgerahmte Brille fand auf seiner Nase Platz. Zuvor, ohne die dicken Gläser seiner Sehhilfe, hatte sich Arno wohl allein kraft seiner Erinnerung durch den mit Hindernissen verstellten Verkaufsraum bewegt. Wohlgefällig, für meinen Geschmack mit etwas zuviel Wohlgefallen, studierte er das Gesicht und die Gestalt meiner Frau, sah dann kurz auf mich und verschwand mit einem «Ach, das will also Ihr Mann sein!» im Hinterzimmer seines Ladens.

Vielleicht habe ich mich deshalb auf die Trittleiter gesetzt. Sie wird Ihnen, wenn Sie Arno's Atlantic Hardware betreten, links vor der Verkaufstheke auffallen. Es handelt sich um keine vollwertige Leiter, sondern um eine sogenannte Hausfrauen-Hilfe. Aus einem stabilen, etwa hüfthohen Hocker lassen sich drei Stufen herausklappen. So hat man beim Fensterputzen, Vorhangaufhängen und Regaleinräumen sicheren Stand. Als Arno zurückkam und ein Tablett auf die Theke stellte, ging meine Frau hinten im Laden auf und ab und besah sich die Waren. Arno wandte sich mir zu, er beugte sich über mich und drückte mir eine Teetasse auf den Schoß.

«Du siehst blaß aus, Landsmann.» Und in ein Flüstern fallend, fragte er, ob mich seine Nachbarn, die Bimbos, so erschreckt hätten.

«Sind Sie Rassist, Herr Arno?» Meine Frau, gegen die man jeden Luchs schwerhörig nennen muß, schlängelte sich aus einem Winkel, vorbei an einer Phalanx Gasflaschen und allerlei Schweißgerät.

«Quasi im Gegenteil, Fräulein!» rief ihr Arno entgegen. Eher glaube er an den Unwert der gesamten menschlichen Spezies als an eine Höherwertigkeit der pigmentarmen Völker. Und dann fragte er mich, ob ich nicht etwas Milch zum Tee nehmen wolle, es sei Rohmilch, direkt von der Kuh, handgemolken von einem deutschstämmigen Farmer in Wisconsin. Hier, bei den Amis, werde eines Tages wohl eher für den Verzehr von Vollfettprodukten oder für den Besitz gotteslästerlicher Bücher Waffenscheinpflicht eingeführt als für den Erwerb gemeingefährlicher Schießprügel. Er hatte also bemerkt, wo mein ihm ausweichender Blick gelandet war. Ein Teil der Verkaufstheke war verglast und ließ die Kunden in eine Schublade sehen, in der Revolver und Pistolen in einem wüsten Durcheinander ihre Läufe kreuzten.

«Kannst du schießen, Kleiner?» Was hätte ich Arno darauf antworten können? Noch vor dem Abitur hatte ich den Kriegsdienst verweigert und dann meinen Zivildienst in einer Seniorenwohnstätte am Ammersee abgeleistet. Das Pflegeheim war voll mit alten Kriegern, die, während ich sie rasierte, ihnen die Katheter wechselte oder sie in Windeln legte, damit prahlten, wie sie mit ihren Stukas oder Panzerabwehrkanonen einen russischen Tank nach dem anderen erledigt hätten.

«Pe null acht! Neun-Millimeter-Luger, deutsche Dienstpistole zweier Weltkriege!» Arnos langer, gelber Zeigefingernagel klopfte über einer zierlichen Pistole aufs Glas. Dies sei seine einzelhändlerische Wunderwaffe. Da leuchteten den Yankees die Augen. Die gepflegten Exemplare, aus Beständen der DDR-Volkspolizei, seien bei ihm als ‹The Original Adolf's & Eve's Home Gun› erhältlich.

«Heißt das, Herr Arno, Sie haben sich auf Nazi-Devotionalien spezialisiert?»

«Reiner Broterwerb, Fräulein!» Arno reichte meiner Frau mit einem knackenden Bückling eine Tasse und ließ ein wenig der zähflüssigen Milch in den Tee tropfen. Das Service, das er uns aufgetischt hatte, war bestechend schön, und ich hob die Zuckerdose, um nach der Prägung der Manufaktur zu sehen. Obwohl wir vorgewarnt waren, machte mich der rote Adler, der sich da in ein goldenes Hakenkreuz krallte, dann doch zusammenzucken. Vielleicht, weil ich bis jetzt den Mächten des Bösen nicht so viel Geschmack, so viel durch Funktionalität gebändigten Willen zur Schönheit zugetraut hatte.

«Entwurf Albert Speer!» klärte mich Arno auf. Diese Tassen kämen bei ihm nur selten auf den Tisch. Zuletzt habe er vor über zehn Jahren mit seinem Lieblingsneger, aus Anlaß der deutschen Wiedervereinigung, alten kubanischen Rum daraus geschlürft. Er goß meiner Frau, die, ohne abzusetzen, leer getrunken hatte, nach und hielt mir mit der anderen Hand ein Zigarettenetui hin.

Ich hatte mir das Rauchen im Frühjahr nach ungezählten Fehlversuchen endlich abgewöhnt, doch ich weiß, daß ich, solange meine Lungen atmen, vom Rückfall bedroht bin. Also widerstand ich, und mit umgeleiteter Gier, mit ehelicher Demut, sah ich meine Frau einen der sehr schlanken, filterlosen, offensichtlich selbstgedrehten Glimmstengel rauchen. Arnos Finger – seine Pranken hätten einem Schmied zur Ehre gereicht –

strichen lange behutsam über die im Etui verbliebenen Zigaretten, bis er selbst eine herauszupfte und sich von meiner Frau Feuer geben ließ.

«Rauchen haben die Männer früher spätestens im Krieg gelernt!» Das war in meine Richtung gesprochen, aber ich schwieg, denn vom Krieg verstehe ich, gottseidank oder leidergottes, so gut wie nichts. Mehr als ich hat mein Vater, der im ersten Kriegsjahr geboren wurde und als fünfjährige Halbwaise in den Frieden ging, unter diesem Erfahrungsmangel gelitten. Mit inquisitorischem Furor konnte er jeden ungefähr zwanzig Jahre älteren deutschen Mann, ohne daß der zu Wort kam, ja ohne daß der überhaupt anwesend sein mußte, des Massenmords anklagen. Nach seinem Tod jedoch fand meine Mutter im Hobbykeller, raffiniert in der Trennwand zur Saunakabine verborgen, zusammen mit ein paar zerfledderten Playboys, zahlreiche Weltkrieg-II-Fotobände und eine riesige Sammlung Landserheftchen.

«Erzählen Sie uns, was Sie nach Chicago verschlagen hat?» Damit stellte meine Frau, die geschwätzige Männer haßt, dem Alten einen erstaunlichen Freibrief aus. Und der große Arno nahm sich die Zeit, um von etwas zu berichten, was ich, nicht ohne Neid, als einen heroischen Lebensplan gelten lassen muß. Herr Arno ist Amateurphilologe und Amateurübersetzer. Ich verrate kein Geheimnis. Wer will, kann sein Projekt auf einer Internet-Seite einer genaueren Prüfung unterziehen. Amateur sei, so hat Arno es uns etymologisch erklärt, ein Ehrentitel, denn der Begriff gehe auf indogermanisch ‹amut›, der ‹Zuchthengst› zurück, und im Sanskrit sei das Wort ‹amuta› als ein heiliger, außerhalb kultischer Zusammenhänge verbotener Ausdruck für die eheliche Vereinigung belegt. Seit über einem halben Jahrhundert, seit man ihn als jungen Kerl aus britischer Kriegsgefangenschaft entlassen habe, sei er mit der Übersetzung eines einzigen deutschen Buches ins Englische, genauer gesagt ins Amerikanische beschäftigt.

Arno griff hinter sich in ein Regal und warf, ohne Rücksicht auf das dünnwandige Nazi-Porzellan, einen gewaltigen Folianten auf die Ladentheke. Als er ihn, irgendwo in der Mitte, aufgeschlagen hatte, sahen wir links oben eine vergilbte Buchseite eingeklebt. Darüber und darunter und in drei rechts davon gezogenen Spalten war mit verschiedenfarbigen Tinten und in winziger Schrift – es sah wie Stenographie aus – jeder Freiraum vollgekritzelt.

«Textkritik, seelenhistorische, sprachvegetative Textkritik!» Ein Fausthieb Arnos zwang dem Wälzer ein pneumatisches Ächzen ab und ließ die Löffelchen in den Tassen des großdeutschen Baumeisters klingeln. Gewissenhafte Textkritik als Basis jeder gründlichen Übersetzung sei das irdische Fegefeuer, sei Höllenarbeit zu Lebzeiten. Bis ins späte 18. Jahrhundert, bevor die besten deutschen Säfte von nationaler Kleingeisterei aufgesogen worden seien, habe man in der Heimat noch zu arbeiten gewußt. Dann jedoch seien die armen Schufter, die Rakkerer, die Wühler, die Kärrner, der Humus der höheren Arbeit, nach Amerika ausgewandert. Hier, in Wisconsin und Illinois, hätten sie sich niedergelassen. Und deshalb sei es kein Zufall, daß man in Chicago bereits 1938 die erste vollständige Übersetzung von ‹Mein Kampf› in Druck gegeben habe.

«Ist sie gut?» Meine Frau traf, wie so oft auf ihre Weise, ins Schwarze.

«Gottverdammich! Nein!» Arno riß sich die Brille von der Nase, als hätte er das Machwerk vor Augen und könnte dessen Anblick nicht ertragen. Ausgerechnet ein Christenhund, ein aus der Lüneburger Heide ausgewanderter Sektierer, habe die Worte des Führers ins Amerikanische gebracht. Verharmlosend und verschlimmbessernd sei die Übertragung vom ersten bis zum letzten Satz. Wie solle man den Faschismus vernünftig bekämpfen, solange keine vernünftige Übersetzung seines theoretischen Hauptwerks in die Weltsprache vorliege?

Ich wagte nicht, Herrn Arno ein Beruhigen-Sie-sich-doch! zuzurufen. Zum Glück schien er selbst gemerkt zu haben, daß er sich unbekömmlich echauffiert hatte. Die Brille, die seine Rechte eben noch wie eine Waffe durch die Luft geschwungen hatte, fand zurück in sein Gesicht. Aus den hinteren Seiten seines Arbeitswälzers zerrte er ein Heftchen. Er murmelte: «Entschuldigen Sie mich für eine Minute, Fräulein …» und begann mit einem klobigen Kugelschreiber, rasend schnell, waagerecht und senkrecht und waagerecht, in das Heft zu krakeln. Schließlich rupfte er das beschriebene Blatt heraus, griff sich einen Gummierstift – ich las den Markennamen ‹Gutenberg› – und klebte das Blatt, vor meinen Knien, auf die Front der Verkaufsbarriere.

Erst viel später, als Arno längst mit meiner Frau über ausgewählten Beispielen der Übertragung deutscher

Prosarhythmen brütete, lehnte ich mich zurück, um mit Muße einen Blick auf die Zettel zu werfen, die, kreuz und quer übereinandergepappt, Arnos Ladentheke panzerten. Es waren, soweit ich sah, Blätter aus alten deutschen Kreuzworträtselheften. Keinem Kästchen war sein Buchstabe vorenthalten worden, auch wenn er oft nur einem runenartigen Haken oder einem flüchtigen Kringel glich: niederschlesische Kreisstadt am Queis, sechs Buchstaben. So verging uns die Zeit. Und irgendwann hatte sich der Chicagoer Mond, ein fleckenlos weißer Diskus, in eines der Fenster der schwarzen Baracke geschoben.

Jene drei schwarzen Amerikaner, denen ich in der Hoffnung, daß sie uns dann unbeschadet ziehen lassen würden, hundert Dollar gespendet hatte, zeigten, während sie sich das Geld umständlich teilten, plötzlich Sorge um den Erlebnisertrag unserer Reise: Wenn wir schon aus Deutschland bis zu ihnen nach Chicago gekommen seien, müßten wir unbedingt auch ihren Deutschen besuchen. Voller Respekt, in einer Art Comic-Pathos die erhobenen Fäusten schüttelnd, nannten sie ihn Arno The Great Cold Warrior. Und als ich ihr Auseinandertreten mit einem «Thank you! Good bye!» zu einem hastigen Weitergehen, zur Flucht, nutzen wollte, rief meine Frau: «Halt, wo rennst du denn hin? Vielleicht hat dieser Arno schon jahrelang mit niemandem mehr Deutsch gesprochen!»

So war es dazu gekommen, daß ich eine amerikanische Nacht auf der Hausfrauenleiter in Arno's Atlantic

Hardware verbrachte. Im Sitzen döste ich ein und hörte im Halbschlaf, wie Arno aus dem Originaltext und aus seiner Übersetzung zitierte, hörte, wie meine Frau mit den Fingerknöcheln, mit den Fäusten und mit den Ellenbogen ihre rhythmischen Korrekturen und Verbesserungsvorschläge trommelte.

Zuletzt, gegen Morgen, schrak ich nicht einmal mehr hoch, wenn ihr Fuß, wenn ihr Knie gegen die Ladentheke donnerte, um einen wichtigen Akzent zu setzen. Fast träumte ich, zumindest kam ich, wie in Trance pendelnd, einem Traum nahe. Ich phantasierte, meine Frau, die Avantgardistin, trommle Arno auf seiner Hardware, auf seinen Geräten und Werkzeugen, ein Liedchen aus der Heimat vor. Sie, die man mit bestimmten Harmonien zur Weißglut reizen kann, hatte sich auf dem Blech die nötigen Dreiklänge zusammengesucht. Es war etwas Kleines, es war etwas Eingängiges, was sie so spielte, und Arno brummte und schluchzte den einfältigen Text dazu.

«Für uns», sagte meine Frau, als wir Arno verließen und uns durch die Sozialruinen auf den Weg zu unserem Appartement machten, «für uns und vielleicht auch für unsere Kinder ist das Reich noch weit genug. Noch kann es alles – einen salzigen und einen süßen Ozean! – mit seinen deutschen Ländern umfangen halten.»

Im Lande Od

I.

Nichtiger Tag – aber Kungu, Bleichgesicht unter Bleichgesichtern, fürchtet die weißen Götter und muß ihre Mißgeburt mit Gemurmel ehren. Schlapper Dezember, mehr Regen als Schnee. Kungu trägt die beiden Hocker, die Staffelei, den Gartenschirm, dessen sandgefüllten Fuß und das Plastikmäppchen mit dem Werkzeug aus der U-Bahn hinauf ins Geniesel. Die Broterwerbsplatte, der große Platz zwischen Brunnen und Kirche und Europacenter, ist fast leer. Kungus Konkurrenz hat sich an diesem besonderen Nachmittag freigenommen. Nur die Händler der falschen Uhren halten die Stellung. Drei haben ihre Tapeziertische aufgeklappt. Die Ware, die sie auch heute an den Passanten bringen wollen, liegt unter Plastikfolien, was sie noch elender, noch billiger, nur noch hoffnungslos gefälscht aussehen läßt. Dreimal faucht Kungu den gleichen Gruß, als er an den Uhranbietern vorbeischlurft, dreimal schaut er so grimmig wie möglich in ihre käsigen Visagen. Gerade heute gilt es, sich vor ihrer mörderischen Ohnmacht, vor dem lautlosen Hüpfen der Sekundenzeiger, zu schützen. Dann wird der große Schirm in seinem Standfuß verankert und aufgespannt, um das Eschenholz der Staffelei, die Sitzflächen der Hocker und Kungus kahlen, alten Schädel vor dem lauen, vor dem durch seine Lauheit zermürbenden letzten Regen dieses Jahres zu bergen.

Auf dem dreibeinigen Hocker, die Fäuste zwischen den Schenkeln, beginnt Kungu an Bübchen zu denken. Kungu spürt, daß Bübchen noch schläft, und will ihn zum Aufwachen zwingen. Wenn Bübchen jetzt aus dem Bett kommt, kann er in einer halben Stunde auf dem Platz sein und sich mit Kumpel Kungu in den restlichen beiden diesigen Stunden noch ein schweres Berliner Abendessen samt den nötigen Bieren verdienen. Kungu faßt sich in die Kniekehlen und findet mit dem Wünschelfinger, mit dem Stummel, der ihm vom linken Mittelfinger geblieben ist, eine Stelle, die taugt, um Kontakt zu Bübchens Träumen aufzunehmen. Der Stummel ist taub, solange ihn sein Herr in Frieden läßt. Aber jetzt, wo er mithelfen muß, Bübchen aus den Federn zu scheuchen, fährt es wie Strom in die Knochensplitter, die vom abgetrennten mittleren Fingerglied noch im Fleisch stecken, die nadelspitz direkt unter der verhornten Narbe sitzen.

Verlogenes Wetter – letzter Ausweis von dem, was behauptet, heute zu Ende zu gehen. Kungu schlüpft aus der Jacke und öffnet die oberen Knöpfe des Hemdes. Bübchens Schlaf war leicht und unruhig. Bübchen ist wach! Kungu weiß, sein Kollege, sein Freundchen, sein Hoffnungs- und Sorgenbengel, wird nicht duschen, wird nicht frühstücken, wird nicht einmal eine Tasse Kaffee zu sich nehmen, sondern gleich in die verrauchten Klamotten des Vortages fahren und seine Arbeitsutensilien zusammenraffen. Zwei U-Bahn-Stationen, und Bübchen ist hier auf dem Platz, wo Kungu schon für sie beide Position bezogen hat. Nichtiger Tag – Kungu stampft mit den Füßen, packt das Werkzeug aus und murmelt, um ganz sicherzugehen, noch dreimal Bübchens allerchristlichsten Namen.

II.

Ich bin zu spät, später noch als sonst. Ausgerechnet heute, wo ich in aller Früh aufstehen und den ganzen langen Tag durcharbeiten wollte, habe ich heillos verschlafen. Damit ist auch mein Plan beim Teufel, die kommende Nacht, vor allem die kommende Mitternacht, in festem Schlummer zu versäumen. Jetzt müßte ich Schlaftabletten nehmen, mich bis zur Bewußtlosigkeit betrinken oder mir von Kungu mit dem Hocker über den Schädel hauen lassen, um dem Läuten der Glocken, um dem Böllern und Schießen zu entgehen. Unser Platz ist gespenstisch leer. Der geschwärzte Kirchturm ragt aus der nassen Fläche, als habe ein riesiger Untoter das Zierpflaster mit dem Zeigefinger durchstoßen. Im Fernsehen und auch in der Schule habe ich gehört, daß er der Rest einer Kirche ist. Angeblich hat man den ruinierten Turm zum Gedächtnis an irgendeinen Krieg zwischen den Neubauten stehen lassen. Im Feuersturm einer Bombennacht sollen die Zeiger seiner Uhren auf den Zifferblättern zerschmolzen sein. Das wird schon stimmen, aber groß glauben mag ich es nicht.

Kungu malt. Auch heute hat er es geschafft, einen

Kunden, einen japanischen Touristen, auf seinen Hocker zu locken. Ich nicke zaghaft und baue mein eigenes Zeug möglichst leise neben den beiden auf. Der Japaner ist nicht klein, doch Kungu hat den Kundensitz, einen schwarzen Klavierhocker, so hoch geschraubt, daß die Schuhe seines Modells den Boden nur noch mit den Spitzen berühren. Die Asiaten sind Weltklasse im Stillhalten, und sie können, wenn sie Portrait sitzen, die Augen auf zwei verschiedene Stellen von Kungus Körper gerichtet halten. Die starke Brille, die der Japaner trägt, läßt dieses Vermögen überdeutlich erkennen. Seine linke Pupille ist auf den Rumpf meines Kollegen fokussiert. Kein Wunder, bis zum Bauchnabel zeigt Kungu im Spalt des aufklaffenden Khakihemdes einen Streifen seiner muskulösen, weißbeflaumten Brust. Das andere Mandelauge betrachtet Kungus Füße. Das ganze Jahr hindurch trägt Kungu dieselben von ihm selbst aus alten Reifen geschnittenen Sandalen. Die Haut zwischen den Gummiriemen ist graubraun, um die Zehennägel fast anthrazitfarben. Aber es ist nicht der Staub der Stadt, der sie geschwärzt hat. Auch wenn Kungu seine Füße im Brunnen gewaschen hat, was er täglich tut, solange dort Wasser ist, bleiben seine Füße afrikanisch dunkel. Erst oberhalb der Knöchel, wo die Hose die Haut schützt, ist Kollege Kungu so weiß, wie es in unseren Breiten noch immer als normal gilt.

Der Japaner zahlt mit einem großen Schein. Zunächst hat er, was bei den Touristen häufig vorkommt, Kungu seine Kreditkarte hingehalten. Wie immer ließ sich Kungu das Kärtchen in den rechten Handteller legen, fuhr dann ganz langsam mit der narbigen Spitze des Stummels, der ihm vom linken Mittelfinger geblieben ist, über den Magnetstreifen und schüttelte bedauernd den Kopf. Als ihm der Japaner nicht glauben wollte, daß damit irgend etwas bewiesen sei, ließ sich Kollege Kungu das Kärtchen ein zweites Mal geben, trat an die Staffelei und zog es durch die gelben Zähne des Schrumpfkopfs. Das schaurige Präparat baumelt an einer kurzen silbernen Kette von der Rückseite des Malbretts, und ich bin mir inzwischen, nach einem Jahr Kooperation, sicher, daß es dieser Schädel ist, der die Kunden, vor allem die Schlitzaugen, anzieht. Kungu mag es nicht, wenn ich seine Japaner so nenne, erst gestern hat er mich deswegen wieder böse angeschaut und gesagt, uns Eurasiern – ich weiß nicht, was genau er damit meint – bleibe wie siamesischen Zwillingen gar nichts anderes übrig, als miteinander auszukommen.

Kungus Schrumpfkopf ist echt. Ein knappes Dutzend Zähne steht schief aus den zu ledrigen Kanten zusammengeschnurrten Lippen. Die Haare sind verfilzt und wurzeln doch, Schäftchen für Schäftchen, im Pergament des Schädels. Als unsere Freundschaft noch jung war, im Frühling, wagte ich, halb im Scherz, an der Echtheit des Kopfs zu zweifeln. Daraufhin hielt ihn mir Kollege Kungu vors Gesicht, preßte die pechschwarzen, geweiteten Nasenlöcher auf die meinen. Da mir Kungus andere Pranke im Nacken lag, mußte ich den Geruch des Präparats in meine Nüstern saugen und war, überwältigt von der Fülle des Aromas, zumindest von diesem Zweifel kuriert.

Kungu nimmt es genau mit der Herkunft der Dinge, und nie, nicht einmal um einen Kunden hinters Licht zu führen, würde er behaupten, daß der Schädel aus Afrika stamme. Der Schrumpfkopf kommt aus Südamerika und wurde Kungu von einer begeisterten Kundin, einer Deutsch-Argentinierin, verehrt. Kungus Hose allerdings, die er Tag für Tag anhat, war mit ihm in Afrika. Sie ist aus einem speziellen, nur für Zelte, Rucksäcke und Kampfkleidung verwendeten, unverwüstlichen Nylon. Ihr Tarnmuster ist im Lauf der Jahrzehnte nicht verblichen. Und als wir uns besser kannten, im Sommer, zeigte mir Kungu die Stelle, wo die Kugel die Hose aufgerissen hatte und in den Schenkel gedrungen war.

Ich weiß nicht, wann es Kungu auf den heißen Kontinent verschlagen hat. Er selbst sagt, daß er damals ein junger Bursche, manchmal auch, daß er ein Gorilla von einem jungen Kerl gewesen sei. Noch heute, als alter Mann, erscheint mir Kungu stark. Wenn wir nach getanem Tagwerk unser Arbeitszeug zu unserem Stammimbiß mitnehmen, kann ich kaum mit ihm Schritt halten, obwohl er stets das schwerste Teil, den sandgefüllten Fuß des Schirmes, trägt. Damals in Afrika, sagt Kungu, als ihn die Kugel ins Bein getroffen und die Wunde sich zwei Tage später entzündet habe, sei er schwach wie ein Säugling gewesen. Zuletzt, nachdem ihn seine Kameraden, diese internationale Hundebande, in einer Hütte an der Sandpiste zu den Ölfeldern zurückgelassen hätten, habe er gerade noch den Nacken und die Unterarme heben können. Nur sein Leibneger, der ihm in den Wochen zuvor das schwere MG durch den Busch nachgeschleppt habe, sei bei ihm geblieben und habe ihm Wasser und einen milchigen Pflanzensaft über die fiebrigen Lippen geflößt. Damals habe sein Restverstand keinen Pfennig mehr auf das Überleben des eigenen Körpers gesetzt, und nichts, absolut nichts im irrsinnigen Rasen seiner Phantasien sei ein Vorzeichen dafür gewesen, daß er Afrika heil überstehen, daß er den Namen Kungu erhalten und daß er, ausgerechnet er, die Kunst nach Europa hinüberretten werde.

III.

Schwach war Kungus Kolleglein angekommen, schwächer noch als sonst. Es muß dieser Tag, es muß dessen Aufgebauschtheit sein, die Bübchen das letzte Mark aus den Knochen saugt. Und matt und blaß, wie er dann dasaß, konnte er wieder einmal keinen auf seinen Kundenhocker locken. Dennoch wird Kungu ihn heute nicht, wie an anderen Fehltagen, freihalten müssen. Zwar bringt man die Sachen jetzt, wo es dunkelt, zu Ingo's Imbiß, aber dort wird man nicht essen, sondern Ingo nur bitten, den ganzen Kram bis morgen in seiner Bude unterzustellen. Aus seinem nassen Pelz hat dieser lausige Tag eine Überraschung gezogen: Kungu und Bübchen sind eingeladen worden!

Jetzt muß Ingo die Hände an der Schürze abwischen, seine Brille aufsetzen und eine der Karten studieren, weil Bübchen von ihm wissen will, ob die Einladung ernst zu nehmen sei oder ob es sich um einen dummen Scherz handle, der auf irgendeine schwer durchschaubare Weise in der Bosheit des Datums wurzle. Kungu läßt ihn gewähren, obwohl die beiden Kärtchen für sich selbst sprechen: der hautfarbene Karton, der dicke goldene Faden, der ihm aufgeprägt ist, der Schwung der wenigen handgeschriebenen Wörter und deren entschiedene Anordnung. Und schließlich hat Bübchen, der schwächliche Zweifler, doch die Eisprinzessin gesehen, ganz nah war sie an ihn herangeglitten, um ihm die Karten mit den Worten «Persönliche Einladungen für die verehrten Künstler!» zu überreichen.

Kungu hatte sie schon vor Bübchen erspäht: Auf der anderen Straßenseite glitt sie, schnell und mit wenigen technisch perfekten Beinstößen, den Ku'damm entlang. Die silbernen Kufen ihrer Schlittschuhe waren Attrappen, die Rollen, die sich darunter verbargen, ließen das Schmutzwasser aufstieben, als sie, scharf und doch elegant, vor den Staffeleien bremste. Nie zuvor, selbst in Holland nicht, wo er im winterlichen Amsterdam von einem alten belgischen Afrika-Kämpfer angeworben worden war, hatte Kungu eine schönere, eine so langgliedrige und sehnige Eisprinzessin gesehen. Ihr Trikot war aus rotem Samt, der Saum des Röckchens und der Schulteransatz der Ärmel waren mit silbrigem Pelz verbrämt, und aus silbernen Fäden bestand auch der Schleier, der ihr Gesicht halb bedeckte und den Regen wie ein Spinnennetz Tropfen für Tropfen einfing.

Ingo gibt Bübchen die Einladungskarte zurück, denn zwei junge Türken sind mit einem schwarzweiß gefleckten Pitbull-Terrier an den Imbißwagen getreten und haben dreimal Pommes, einmal mit Ketchup, einmal mit

Mayo und einmal ohne alles, auch ohne Salz, bestellt. Ingo sagt, daß ihm das Etablissement, von dem die Einladung spreche, unbekannt sei, obwohl seine Schwester nur wenige Hausnummern weiter in derselben Straße wohne. Mißtrauisch studiert Bübchen erneut Vorder- und Rückseite der Karten. Ach, stumpfer, törichter Argwohn, der wegschielt von den wahren Zeichen, die sich wie die Gegenwart unablässig erneuern. Die beiden Türken – nein, jetzt hört Kungu sie ein gebrochenes Berliner Arabisch wispern! – sind in die Hocke gegangen und beobachten mit ernsten Gesichtern, wie ihr Kampfhund, ein junges Weibchen mit milchprallen Zitzen, die dampfenden, nur langsam erkaltenden Pommes umschnüffelt.

IV.

Kungu sei Dank. Ohne sein energisches Wegzerren, ohne sein grimmiges Grunzen wäre ich wohl bei Ingo hängengeblieben und hätte zwei, drei Putenfleischspieße und alle dazu und danach nötigen Dosenbiere anschreiben lassen. Statt dessen geht es in zügigem Marsch Richtung Osten. Ich wagte nicht, nach Bus oder U-Bahn zu fragen. Kungu, der im afrikanischen Busch als Kampftruppführer bis zu vierzig Kilometer pro Tag zurückgelegt haben will, hat mich, als wäre ich sein Berliner Neger, ins Schlepptau genommen. Ja, ich trage sogar etwas für ihn! Am Kiosk, gerade als ich mich mit umständlichen guten Wünschen für die kommende Mitternacht von Ingo verabschieden wollte, drückte mir Kungu das Plastiktäschchen mit seinem Werkzeug in die Finger.

Fast alles, was ich kann, was mir bisweilen am Kunden glückt, verdanke ich Kungu. Als ich an einem trügerisch frühlingshaften Februartag zum erstenmal meine Staffelei neben seiner aufklappte, hatte ich nichts weiter als zwei Kurse an der Volkshochschule Wilmersdorf hinter mir: ‹Comic für Anfänger› und ‹Das Portrait frei nach Photo›. Eine geschlagene Stunde sah ich damals zu, wie Kungu linkshändig eine Reisegruppe, Holländer indonesischer Abstammung, einen nach dem anderen aufs Papier zauberte, dann packte ich meine Sachen ein und wollte nur noch diskret verschwinden. Kaum aber hatte ich meine Hocker auf der Schulter, da rief Kungu mich an. «Kollege!» brüllte Kungu, daß es mir durch Mark und Bein fuhr. «Kollege! So schnell werfen wir Künstler die Flinte nicht ins Korn!» Und nachdem ich mein Zeug, vor Scham und vor Freude am ganzen Leib zitternd, wieder abgesetzt hatte, drückte er mir einen Schein in die Hand und hieß mich von Ingo's Imbiß Bockwurst und kaltes Bier holen.

Als ich zurückkam, sah ich, daß Kungu meinen Sitz dicht neben seinem Hocker aufgeklappt hatte. Meine Wurst mampfend, stand ich tapfer durch, wie Kungu zwei dickliche Chinesinnen ins Hochformat seines Blocks bannte. Freistil nennt er seine Methode zu portraitieren. Zunächst wischt er heftig, fast ohne auf sein Modell zu achten, mit einem großen wirrborstigen Pinsel stark verdünnte Tinte aufs Papier. Wie Wolken oder wie Nebel sieht diese Grundierung aus, dennoch enthält sie auf rätselhafte Weise bereits die Grundstruktur des werdenden Portraits. Dann greift Künstler Kungu zu den eigentlichen Waffen, die er zusammen mit einem scharfen Messer und einem Marmeladenglas voll selbstgemixter Tusche in einem Plastiktäschchen aufbewahrt. Es sind kurze Bambusstöckchen, und für jedes Bild muß einer ausgewählt und frisch angespitzt werden. Vielleicht liegt es an der Empfindlichkeit seines Stummelfingers, daß Kungu den Bambusgriffel beim Zeichnen in der geballten Faust führt. Während ich, biertrinkend, neben ihm ausharrte, schwante mir allerdings ein anderer Grund. Vermutlich bin ich damals dem Geheimnis von Kungus Kunst am nächsten gewesen.

Heute abend scheint er genau zu wissen, wie und wo wir an Nahrung für Leib und Seele gelangen können. Als ich kurz vor dem Ziel am Hochbahnhof Hallesches Tor einen Kiosk ansteuern wollte, um mir irgend etwas, vielleicht ein Tütchen Goldbären oder Weingummi, in den Rachen zu stopfen, zerrte mich Kungu am Ärmel weiter. In tückischer Manier, wohl unter dem Einfluß dieses drückenden 31. Dezembers, versuchte ich, ihn mit der Aussicht auf ein Fläschchen Magenbitter zu locken. Kollege Kungu aber, der sonst das Feuerwasser nicht verschmäht, hob die Linke, hob den Stummel und drohte mir mit unmißverständlichem Winken Schläge an.

Wir sind am angestrebten Ort. Straße und Hausnummer stimmen. Es ist ein schäbiger Altbau, gezwängt zwischen Häuser, die ihn an düsterer Vernutztheit noch zu überbieten suchen. Die drei nächstgelegenen Straßenlampen sind tot, was ich für die Folge eines gezielten Anschlags halten könnte, denn so im Finstern kommt das blendende Reinweiß des Neonschriftzugs über der Toreinfahrt zu einer fast unheimlichen Geltung. Ja, wir sind richtig. Genau so steht es auf den Einladungen, die mir die Roller-Skaterin ausgehändigt hat. In gebundenen Buchstaben, eine Schreibschrift nachahmend, eng und hochgezogen, weil das grindige Fassadenstück zwischen zwei Erkern nur begrenzt Raum läßt, lesen wir: AL'S WELT OF BOWLING.

V.

Kungu ißt und trinkt und hat Bübchen dasselbe befohlen. Aber der steht nur da, das volle Glas in der Hand, und hält Maulaffen feil. Bester kalifornischer Wein! In Afrika, während er mit anderen Söldnern ein zerschossenes französisches Konsulat plünderte, hat sich Kungu zum letzten Mal mit einem vergleichbaren Tropfen die Kehle geölt. Damals haben sie die Delikatessen mit den Spitzen ihrer Kampfmesser aus den Konserven gespachtelt. Hier in AL'S WELT wiegt das Besteck schwer in den Händen, und die Teller schimmern wie Perlmutt. Das Buffet ist imposant, als weiße Sichel folgt es der Balustrade, die die Start-Pools der Bowlingbahnen begrenzt. Vor den Tischen ist ein roter Teppich ausgerollt worden, wohl um das jungfräuliche Holz der Bahnen zu schonen. Afrikanische Hölzer! Noch vor dem ersten Bissen, noch vor dem ersten Schluck hat Kungu sich niedergehockt, um den Wünschelfinger ein Stück über die Maserung zu schieben. Jetzt trinkt Kungu ein volles Glas auf einen Zug leer und gedenkt der Keule seines Leibnegers, gedenkt ihres hellen und doch satten Tons auf dem Schädel des

Strauchdiebs, der nachts zu ihnen in die Hütte geschlichen gekommen war, um den fiebernden, den vor Schmerz und Schwäche gelähmten Weißen auszurauben.

Ein nobles Völkchen! Kungu gefällt, wie würdig die anderen Eingeladenen zu gabeln und zu löffeln wissen. Wahre Gäste – scheinbar nur ihrem Gastsein verpflichtet! Als sie beide die schmale Treppe im Hinterhaus hinaufstiegen, bezweifelte Bübchen noch einmal lauthals, daß es das Fest dieses Al wirklich gebe. Aber dann überholten sie drei sehr alte Herren, denen der Aufstieg sichtlich Mühe machte. Mit ihren feinen Mänteln hatten sich die Greise an den Ölanstrich des Treppenhauses gelehnt, um ein wenig zu verschnaufen. Auf einem winzigen Kandelaber, der neben dem Trio aus der Wand ragte, flackerte eine Kerze. Und als einer der Männer den Hut vom silbrigen Haar hob, um die aufsteigenden Künstler zu grüßen, entblößte seine Schattenhand einen schwankenden, eiförmig verzogenen Schattenschädel. Oben, auf dem dritten Treppenabsatz, stoppte sie beide dann ein dicker dunkelroter Vorhang. Bübchen sah schrecklich verzagt aus und wäre wohl am liebsten holterdipolter die Treppen hinuntergestürzt, um wieder ins Dunkle zu fliehen. Doch Kungu riß für ihn und für sich den Vorhangspalt auseinander!

Ein Zuviel an Licht, ein Übermaß künstlicher Beleuchtung, ließ sie, die es als Künstler gewohnt waren, an sonnigen Junimittagen aufs Zeichenpapier zu blicken, hilflos ins Weiße blinzeln. Und sogleich gab den Geblendeten eine Stimme Halt. Kungu übertreibt nicht, wenn er sie honigsüß nennt. Edelhonigsüß muß Kungu sie sogar nennen, denn jeder Imker weiß, daß Honig nicht zu jung sein darf, sondern Reifung braucht, um seine Aromen zu entfalten und wirklich hinreißend süß zu schmecken. Die Stimme, die sie ansprach und sie namentlich begrüßte, gehörte dem ersten der MAGIC MÄDELS, die sie kennenlernen durften. Kungu weiß, daß sie Magic Mädels heißen. Nichts anderes können die beiden ineinander verschlungenen M auf den Schulterklappen ihrer blauen Uniformen bedeuten.

VI.

Kollege Kungu schmatzt, daß es eine Pracht ist. Das erste Glas Wein hat er sich auf einen Zug in den Hals geschüttet und lang und laut damit gegurgelt. Ich weiß nicht, ob ich stolz auf ihn sein soll oder mich vor den diensttuenden Frauen für ihn schämen muß. Wenn er es zu weit treibt, werden sie ihn gewiß zur Ordnung rufen. Schon ihre Uniform heischt Respekt. Alle fünf – oder sind es doch sechs? – tragen jene doppelt geknöpften blauen Jakken, in denen die amerikanische Kavallerie seit jeher, seit ich meinen ersten Western gesehen habe, von links nach rechts über die Leinwand reitet. Dazu einen kniefreien Rock und hohe, frisch gefettete schwarze Stiefel. Aber das am meisten Achtung, ja Furcht Einflößende baumelt an ihren Hüften. Die Frauen, die hier unbestreitbar das Handeln und Sagen haben, sind bewaffnet. An tiefsitzenden Gürteln hängen rechts und links große Revolver. Die Spitzen der Halfter sind mit dünnen Lederriemen am unbedeckten Oberschenkel, zwischen Rocksaum und

Knie, festgebunden. Kungu sagt, das müsse so sein, damit ein schnelles Ziehen gewährleistet sei. Er, der sich mit Schießprügeln auskennt, hat mir, als wir ans Buffet geführt wurden, den Markennamen ‹Colt› und eine Typennummer ins Ohr geflüstert.

Noch sind es wenige Gäste. An der lang geschwungenen Sichel des Buffets, vor der Tiefe der blitzenden Bowlingbahnen, verlieren sich die meist schwarzgekleideten Gestalten. Und immer wandert der eine oder andere mit gefülltem Teller in die angrenzenden Räume ab. Bis jetzt habe ich nur männliche Gäste gesehen. Meist sind es ältere oder gar sehr alte Herren, und auch die mittelalten und die seltenen jungen haben etwas Würdig-Gesetztes, als trügen sie die in Beruf und Stellung erworbene Geltung wie eingenähtes Blei im Hosenboden. Mir scheint, daß wir bis jetzt die einzigen Künstler sind. Anlaß, Grund oder Ziel des Festes ist mir dunkler denn je.

Die Bowlinganlage ist gewaltig, bestimmt kennt unsere Hauptstadt keine zweite dieser Art. Nichts aber deutet darauf hin, daß sie im Verlauf des Abends eröffnet werden soll. Nirgends ist eine Kugel, nirgends ein Spieler in zünftiger Sportkluft zu sehen. Auf den Einladungskarten ist zu lesen, Al erlaube sich, uns heute nacht zum «Rüstfest» zu bitten. Doch dieses «Heute» kommt ohne Datum aus. Hätte ich die durch den Regen herangerollte Botin nicht fragen können, ob «Heute» heute meine, wäre uns dunkel geblieben, für welchen Tag die Einladung gilt. Langsam werden die Gäste mehr, auch wenn ihre Zahl noch nicht ausreicht, um die Masse der Leckerbissen erkennbar zu verringern. Irgendwann wird auch jener Al erscheinen, der alles gestiftet hat und diese seltsame Welt die seine nennt.

Kollege Kungu läßt sein Glas fallen, vielleicht um die Wirklichkeit des Augenblicks zu prüfen. Aber der Teppich erweist sich als dick genug und dämpft den Fall. Jetzt greift Kungu nach einer Rotweinflasche, trinkt barbarisch aus ihrem Hals. Wohl weiß ich, wieviel er verträgt. Aber der süße Wein ist schwerer als das Bier, das wir an Ingo's Imbiß zu tanken pflegen. Eine der diensttuenden Frauen steuert mich an, schnurstracks, die Daumen freischwebend über den Hähnen der Colts. Obwohl diese Haltung, das Schwingen der gurtumschlungenen Hüften, das Klacken ihrer Stiefelabsätze gewiß zur Choreographie des Abends gehören, wird mir doch weich in den Knien. Arg entschieden hält sie mich in den Blick gefaßt. Kungu!

VII.

Bübchen! Mach uns und der Kunst keine Schande! Wie die Munition der Colts ist dieses Magic Mädel ein tief durchschlagendes Kaliber, aber wer Stift und Pinsel in Ehren halten will, darf nicht vor ihr kuschen. Ah! Nett, aber stolz sein, heißt die Parole! Dann brauchst du ihren strengen Blick nicht zu fürchten. Schon wird Kollege Bübchen vom Buffet weggeleitet, wie eine zweite Leibwächterin ist ein anderes Magic Mädel hinter ihn getreten und sichert mit Blicken zur Seite den Abmarsch. Sie ist sehr schlank und zugleich von guter Hoffnung gerundet. Kungu zweifelt nicht daran, daß sie im Gefahrenfall die kugelige Leibesmitte blitzschnell schwenken, den Colt nicht ziehen, sondern im Halfter nach oben kippen und mit dem Instinkt, den allein die werdende Mutter eines Sohnes besitzt, jeden Mann ins Herz treffen würde.

Aber auch Kungu ist nicht nur von gestern, für alle Zeiten hat man ihn mit afrikanischen Wassern gewaschen. Den Betrunkenen mimend, torkelt er ein paar Schritte in die entgegengesetzte Richtung, taucht dann unter das Buffet und nimmt in dem Tunnel, den die Tische bilden, robbend die Verfolgung auf. Bübchen ist kein Dummkopf, bloß ein rechter Tolpatsch. Alles, was sich den Anschein des Neuen gibt, stürzt ihn in stammelnde Verwirrung. Und von den Frauen weiß Bübchen noch rein gar nichts. Kungu kennt sein Kälbchen und hört die Unschuld aus ihm blöken. Einst mußte Kungu selbst bis nach Afrika reisen, mußte dort durch das Bein geschossen werden und sieben Tage, fiebrig auf den Tod, unter glühendem Wellblech liegen, um etwas von den Weibern zu erfahren. Damals, am Rand der Piste, auf halbem Weg zu den vom Feind in Brand gesteckten Ölfeldern, hatte Kungu, der damals noch Helmut hieß, schon dreimal seinen Tod geträumt, als sein Leibneger endlich diese Einheimische zu ihm führte.

Sie war so groß, daß sie sich unter den Türsturz bükken mußte. Nie hatte Helmut, der noch nicht ahnte, daß er bald Kungu heißen würde, ein so großes Weib gesehen. Die Riesin sprach französisch mit Helmuts Neger, ein belgisches Französisch, und stocherte ein Weilchen mit einem grünen Zweiglein in der schwärenden Beinwunde. Helmuts Schenkel spürte nichts mehr, doch seine Ohren hörten die Schwarze sagen, daß dieser weiße Mann tot sei, noch nicht kalt tot, aber schon stinkend tot, und daß man hinter der Hütte eine Grube für ihn ausheben solle. Da fiel Helmuts Neger vor ihr auf die Knie und hob an, in irgendeiner dieser zweitausend afrikanischen Sprachen zu jammern, wahrscheinlich mischte seine Klage sogar mehrere Mundarten, auch englische, französische, niederländische, sogar portugiesische Wörter tauchten in seinem Flehen auf, und Helmut sah, wie seinem Neger, diesem Gebirge aus Muskeln, dazu die Tränen aus den Augen spritzten.

Die finstere Frau drehte sich an der Tür noch einmal um. Sie trug ein altes, an den Schultern zerschlissenes, dunkel gemustertes Kleid. Quer durch den Raum sagte sie zu Helmut, daß der weiße Mann zwei Dinge weggeben müsse, um noch einmal in die Gegenwart heimzukehren: seinen Namen und seinen bösen Finger. Ob er, der schon Stinktote, dazu bereit sei. «Oui!» rief Helmut und «Yes, I will!». Aber erst als er «Ja!» schluchzte, drehte sich die Schwarze ganz in den Raum zurück. Sie griff tief in den Ausschnitt ihres Kleides, holte ein kleines, krummes Messer hervor und gab es seinem Leibneger, der sogleich begann, die Klinge über der Flamme seines Feuerzeuges zu desinfizieren.

VIII.

Die Colt-Girls haben mich vor Al geführt. Ich hätte nicht gedacht, daß er uns schon die ganze Zeit so nah war. Am anderen Ende des Buffets sind, wie um etwas Funktionales zu verbergen, schwarze Stellwände aufgebaut. Und wirklich stapeln sich dahinter Weinkartons und Mineralwasserkästen. Zwei hohe verchromte Gewerbekühlschränke stehen Schulter an Schulter. Und an einer provisorisch aufgebauten Spüle reinigt ein schlanker, braungelockter junger Mann in langer Kellnerschürze die ersten benutzten Gläser. Sie wirbeln ihm fast durch die Finger und bleiben doch heil. Vielleicht weil ein verhalten grinsendes, breitschultriges Gun-Girl, fest wie ein Baum, hinter ihm steht und leise, aber mit glasklarer Artikulation aus einem nußbraunen Büchlein vorliest, dessen Titel ‹Kleine Grammatik des Thailändischen› ich im Vorübergehen erhasche.

Al sitzt mit dem Rücken zu mir vor einem prächtigen Schminkspiegel. Die starken Birnen, die dessen Rahmen säumen, scheinen ihn nicht zu blenden. Im Spiegel sieht er mich kommen, wartet, bis ich herangetreten bin, läßt dann erst den Drehhocker kreisen, zeigt mir sein junges Gesicht und steht auf. Besser gesagt, er klappt sich und die beiden Teile seines weißen Westernkostüms zu erstaunlicher Länge auseinander, um mich aufrecht zu begrüßen. Seine Tracht ist auf großartige Weise uralt, gewiß stammt sie aus einem historischen Fundus, der weiße Stoff ist brüchig, aber über und über mit silbernen Nieten und spiegelnden Pailletten besetzt. Es könnte das berühmte Zirkuskostüm jenes legendären Wild-West-Helden sein, der sich für jedes volle Hundert abgeknallter Bisons oder Indianer eine Spiegelscherbe an Jacke oder Hose nähen ließ. Ja, gewiß ist Buffalo Bill, damals, als die ersten Western-Shows den Alten Kontinent heimsuchten, in diesem weißen Glitzern vor den letzten Kaisern Europas durch die Manege geritten.

Jetzt treten von beiden Seiten Gun-Girls an ihn heran, und die Rechte – sie muß Als rechte Hand sein – reicht ihm seinen Hut. Aber Al zögert, ihn aufzusetzen. Es ist ein gewaltiger Cowboyhut, ausladend wie ein Sombrero, aus weißem Filz und mit einem Goldstern geschmückt. Al starrt den Stern an, als wäre er unsicher, ob er ihn überhaupt über der Stirn führen darf. Ungeduldig stampft seine Assistentin mit dem hohen Absatz. In ihren verengten Augen blitzt Ärger, und die kleinen Gläser ihrer Brille scheinen ihn zu Zorn zu schärfen. Schließlich, immer noch widerstrebend, neigt Al den Kopf, um sich den Hut aufs Haar drücken zu lassen.

Jungenhaft könnte man die Tolle nennen, die ihm so, gebeugten Hauptes, in die Stirn fällt, wäre Als Haar nicht wie eine Perücke sorgfältig gepudert. Weiß, dick geschminkt, ist auch sein Gesicht, als müßte er sein Zuwenig an Jahren durch noble Blässe ausgleichen. Auch die Grandezza des Hutes macht ihn nur unwesentlich älter, allerdings um mehr als Haupteshöhe größer. Al fühlt das, und er knickt, um dies zumindest teilweise zurückzunehmen, ein wenig in den Knien ein. Ganz leicht X-beinig steht er da, schafft es für einen magischen Moment, den Ausdruck reiner Bescheidenheit mit seiner Körperlänge in Einklang zu bringen. Aber dann stupst ihn das andere Gun-Girl mit dem Gewehrkolben in die Kniekehlen. Sie, die links von ihm steht, hält eine altertümliche Flinte am Lauf gefaßt. Gewiß ist der mächtige Vorderlader Als Gewehr. Ein alteuropäisches Erbstück, eine wahre Donnerbüchse, eines preußischen Gardegrenadiers würdig. Al, der keine Colts trägt, hat die Waffe dem linken Mädel, das hegende Sorgfalt, schonungslose Genauigkeit und unbedingte Loyalität bis in die Fingerspitzen ausstrahlt, aus gutem Grund in Verwahrung gegeben.

Gleich wird Long Tall Al das Wort an mich richten, und mir schwindelt, weil ich weiß, daß es mit meinem Schulenglisch, daß es mit meiner Weltläufigkeit, vor allem daß es mit meinem Zukunftsglauben nicht zum besten bestellt ist. Gewiß soll ich ihn portraitieren. Vielleicht nicht nur ihn, sondern alle wichtigen Geladenen, Leute von Welt, die ein akzeptables Abbild sehr wohl von einem miserablen unterscheiden können. Nur deshalb sind wir Künstler an Als Bahn geladen worden – nicht um edlen Wein zu trinken, nicht um über irgendeinen zukünftigen Broterwerb zu schwatzen, schon gar nicht, um mit schweren amerikanischen Kugeln zu kegeln. Denn wir sind keine Sportsfreunde, nicht einmal Kungus Schrumpfkopf könnten wir so über die Bahn kullern lassen, daß ein, geschweige denn alle Kegel fielen.

Al schaut mich an. Mild, fast verschleiert und doch erbarmungslos bilanzierend ist sein Blick. Was tun, wenn er sofort ein gültiges Portrait von mir verlangt? In diesem Augenblick wäre es sein Recht, drehe ich doch das Plastiktäschchen mit den Waffen unserer Zunft in meinen schwitzigen Händen. Da spüre ich Kungus Künstlerklaue auf der Schulter. Sein Wünschelstummel bohrt sich in meine Achsel, der süße Hauch seines Rotweinatems fährt mir ums Ohr. «Nenn ihn nicht Äl!» grunzt

Kumpel Kungu mir leise zu. «Nicht Äl, sondern All soll er heute nacht heißen! All!» Und das alte, das deutsch lallende Wort macht mir Mut und vermag mich sogleich wie eine lang verschollene Kostbarkeit – wie ein endlich wiedergefundenes Kleinod! – blitzhell zu entzücken.

Der gute Ray

Ich bin der Dritte im Bunde, und schon immer hat mich das stolz gemacht. Aber bis heute abend, bis zu unserem heutigen Auftritt, hätte ich mich in meinen kühnsten Träumen nicht dazu verstiegen, uns ein Trio zu nennen – obwohl Ray-Getz-Trio in silbernen Buchstaben auf Dietmars Orgel steht, obwohl wir von Anfang an zu dritt aufgetreten sind, obwohl der gute Ray uns beide, seine Begleitmusiker, nach der zweiten Zugabe stets zu sich nach vorne an den Bühnenrand winkt. Dann legt Ray die Arme um Dietmar und mich, die wir auch leiblich kleiner sind als er, drückt uns an sein rotes Samtjackett und ruft in den Saal: Drei Musikanten wünschen euch eine gute Nacht!

Wie jedes Jahr hat unsere Weihnachtstournee in der norddeutschen Provinz begonnen. Schon Mitte Oktober treten wir vor ein Publikum, das chronisch mißtrauisch, auf eine gescheite Art stur und heidnisch unfromm ist. Es erwartet uns in einer Turn- oder Allzweckhalle, in einem Gewerbegebiet, zwischen feuchten Wiesen, die den ganzen Winter keinen Schnee spüren werden. Falls unsere Agentur den örtlichen Gemeindesaal gebucht hat, lernen wir hagere, kettenrauchende Pastoren kennen, denen viel, nicht nur die Verführung ihrer Konfirmandinnen, zuzutrauen ist. Selbst die Seniorenheime, andernorts unsere sicherste Bank, sind in der norddeutschen

Tiefebene unberechenbares Terrain. Mit eisigem Schweigen wurden Rays schönste Lieder in ihnen schon quittiert. Und sogar seinem allerschönsten, dem großen Hit, von dem wir seit Jahren zehren, kann es in friesischen Breiten geschehen, daß er nur zwei, drei dürre Klatscher, mehr Hohn denn Beifall, erntet.

Im November und im frühen Dezember ziehen wir in einem Bogen nach Südosten, durchs mittlere Deutschland. Die letzten dieser Auftritte atmen schon einen Hauch von Advent. Erneut haben wir die Hauptstadt ausgespart. Der Schicksalsschlag, der Ray dort vor drei Jahren getroffen hat, ist noch in zu heller Erinnerung. Auch die Christmas-Gala des Berliner Adlon konnte Ray nicht in Versuchung führen. Als Ria Maier junior ihm das Einladungsfax vorlas, schüttelte er nur schweigend den Kopf. Und unsere junge Managerin verstand, daß es klüger war, nicht weiter an die noch immer empfindliche Narbe zu rühren. Wie geplant erreichten wir am zehnten Dezember Thüringen, das uns frisch verschneit empfing. Drei Tage später ging es hinüber nach Bayern, und alles war im Lot.

Ray stammt aus Bayerisch-Schwaben. Und obwohl er die Gegend als Jüngling verließ, obwohl er heute teils auf Sylt, teils auf Mallorca lebt, ist er seiner Heimatstadt auf innige Weise treu geblieben. Jeden dritten Advent treten wir im Goldenen Saal des Rathauses auf. Schon vormittags geben wir eine Familienvorstellung. Der späte Nachmittag sieht uns, als Höhepunkt eines bunten Programms, vor den Senioren, die bei Kaffee und Kuchen eine kleine Auswahl aus unseren Liedern hören. Schließlich beginnt nachts um elf Ray's Late Night Show. Dieser Auftritt ist zu einer Institution geworden, seit sechs Jahren überträgt ihn das Regionalfernsehen live, in voller Länge. Die Doppel-CD, die wir dieses Mal aufgenommen haben, wird, wenn Ray sich bei unserer Plattenfirma durchsetzen kann, den Titel ‹Heimat in schwieriger Zeit› tragen und als Cover den verschneiten Christkindlmarkt vor dem Rathaus zeigen.

Die heimatliche Nachtvorstellung ist der einzige Bühnen-Act, bei dem Ray sein rotes Sakko auszieht. Er wirft es, sobald die Glocken der Altstadt Mitternacht schlagen, weit ins Publikum. Im schweißnassen Rüschenhemd verharrt er an der Rampe und reckt, den Kopf im Nacken, die Arme. Ganz langsam spreizt er die Finger, als wollte er nach dem vergoldeten Stuck des Rathaussaales greifen. Dann können alle – seine musikalischen Begleiter, die ihm körperlich am nächsten sind, die Fans in den ersten Reihen und die Fernsehzuschauer, die eine Großaufnahme verwöhnt – bezeugen, daß Ray Getz die Tränen in den Augen stehen.

Vielleicht hat Ria Maier junior mit dem Arrangement, das ihr für den heutigen Heiligabend gelungen ist, ihr Meisterstück abgeliefert. Als sie vor drei Jahren mitten in der Weihnachtstournee an die Stelle ihrer Mutter treten mußte, war Dietmar und mir mehr als bang. Ria Maier senior hatte Ray entdeckt, und unter ihren Fittichen war er zu dem geworden, was er ist und immer sein wird. Die Tochter unserer Managerin kannten wir nur aus wenigen beiläufigen, bedenklich klingenden Bemerkungen. Erst der Schlaganfall, der unsere alte Agentin bis heute aus allen Geschäften verbannt hat, brachte uns ihr Sorgenkind, Ria Maier die Jüngere, vor Augen. Die Mutter, an deren Vitalität keiner von uns zu zweifeln gewagt hätte, war beim Nachtessen nach Rays letztem Berliner Auftritt am Tisch zusammengebrochen. Allein ein kurzer Schwindel hatte den Gehirnschlag angekündigt, eine große Menge Blut floß aus einem Nasenloch der Ohnmächtigen, und die Miene einer zufällig anwesenden, sofort Hilfe leistenden Ärztin ließ bereits das Schlimmste befürchten.

Die Tochter, die verbummelte Studentin, kam aus Köln eingeflogen. Mager und stupsnasig und forsch aus tiefliegenden Augen blickend, sah sie ihrer Mutter bestürzend ähnlich. Und ebenso entschieden, wie Ria Maier senior es stets gewesen war, übernahm sie die laufenden Geschäfte. Ihre Tüchtigkeit hätte man als ererbt erklären können, aber die Herkunft ihrer Sachkenntnis, präzis bis ins Detail, war und bleibt uns Musikern ein Rätsel.

Wir haben bis zum Auftritt noch eine gute halbe Stunde. Dietmar und Hakan, unser Techniker, sind mit der Feinabstimmung des Sounds beschäftigt. Dietmars Orgel, genauer gesagt die Eigenart der in ihrem Bauch verborgenen altertümlichen Lautsprecher, führt zu Klangproblemen, wenn ein großer Raum unverhältnismäßig niedrig ist. Das Vibrato aus langgehaltenen tiefen Tönen, das Fundament aller Ray-Getz-Nummern, staucht sich dann zu einem dumpfen, stoßwellenhaften Wummern. Jetzt schieben die beiden die Orgel an den Bühnenrand und drehen sie schräg gegen die Fenster, vor die schon schwere himmelblaue Vorhänge gezogen sind. Und wirklich, der einfache Trick hilft. Die Füllung des Saales wird ein übriges tun.

Das St.-Cäcilien-Stift am Ammersee ist angeblich das beste Seniorenheim der Republik. Wer seinen hinfälligen alten Herrn oder die gebrechlich gewordene Großmama exklusiv versorgt haben möchte, versucht dort einen Platz zu bekommen. Aber selbst wenn Geld keine Rolle spielt, ist es schwierig, kurzfristig ein Appartement oder gar eine der Suiten, die zur Zeit auch einen ehemaligen Ministerpräsidenten beherbergen, zu ergattern. Der ehemalige Landesherr kann uns heute abend leider nicht die Ehre geben. Sein Zustand erlaubt es ihm nicht mehr, vor den Augen der Öffentlichkeit zu erscheinen. Aber auch ohne ihn wird es nicht an einer Prominenz fehlen, der das meiste, sogar das eigene Prominentsein, selig entfallen ist. Das St.-Cäcilien-Stift gilt als führend in der Pflege all derer, denen nicht nur die Glieder, sondern auch der Geist den Dienst versagen. Wunderbar erfindungsreich und geduldig soll man hier im Hause sein, wenn es in tagtäglichem Kampf darum geht, die Ruinen der Erinnerung, die wenigen standfesten Kulissen des Vergangenen, in das trübe, nur noch selten aufflackernde Licht der Gegenwart zu rücken.

Heute mittag, als wir unser Gepäck ausluden, trat, von zwei Pflegern gestützt, ein alter Herr vor das Taxi. Mit zitternden Händen betastete er den verchromten Stern, wollte wohl etwas zu diesem ihm wichtigen Markenzeichen sagen, aber nur Speichel kam über seine Lippen und tropfte auf die Kühlerhaube. Die Pfleger ließen ihren

Schützling in schöner Gelassenheit gewähren, sie nickten, als verstünden sie zu lesen, was dem Greis ins aufgeregte Gesicht geschrieben stand. Und als der Taxichauffeur Anstalten machte, dem immer heftigeren Zerren der gichtigen Hände am Kühlerzeichen Einhalt zu gebieten, trat einer der Pfleger dazwischen, bat entschieden, ihren Schützling die begonnene Erinnerungsarbeit zu Ende leisten zu lassen, und versprach, eine Geldbörse zückend, alle eventuell entstehenden Kosten kulant zu begleichen.

Es ist schön, im Ray-Getz-Trio älter werden zu dürfen. Unser Dietmar feiert kommenden Frühling seinen Sechzigsten. Vor drei Jahren, als Dietmars immer schon grau gewesene Mähne im Verlauf der Tournee schneeweiß und sichtbar dünner wurde, verbot ihm Ray, sich die Haare tönen und auf eine Länge zurückstutzen zu lassen, in der sie fülliger erschienen wären. Rays Haupthaar ist wie seine flauschigen Koteletten und wie der Backenbart, in den sie übergehen, bläulich schwarz gefärbt. Ria Maier senior hatte dieses schimmernde Blauschwarz ausgesucht, damals, als sie den gelernten Heizungsbauer und Gelegenheitssänger Rainald Göttlicher zu Ray Getz formte – zu jenem Ray Getz, der dann gleich mit seiner ersten Single einen einzigartigen Weihnachtshit landete und der seitdem landauf, landab ‹Unser Christmas-Ray› genannt wird.

Der Sound steht. Dietmar hält fröhlich den Daumen hoch, und Hakan fixiert die Kabel mit Klebeband auf dem Bühnenboden. Punkt 19 Uhr soll es losgehen. Die Heimbewohner sind gewohnt, nicht zu spät ins Bett zu kommen.

Unten im Dorf läutet es Mitternacht. Ray und Dietmar und sogar unser Hakan, der türkischstämmige Frankfurter, sind mit der Heimleiterin in den Ort gelaufen, um in der Barockkirche der Mitternachtsmesse beizuwohnen. Auch mir täte die frische Nachtluft gut, aber ich sitze immer noch vor meinem Spiegel, unfähig, mir jenes Weiß aus dem Gesicht zu nehmen, das Ria Maier senior uns einst als Auftritts-Make-up vorgeschrieben hat und an dem wir auch unter dem Management ihrer Tochter festhalten. Ray trägt eine Unmenge davon auf, denn das Braun, das ihm sein Sylter Sommer schenkt, vertieft der Herbst auf Mallorca zu einem fast indianischen Bronzeton. Öffentlich müsse er stets totenbleich aussehen, hatte ihm Ria Maier senior eingeschärft. Und die Autogrammkarte, von der die Agentur jedes Winterhalbjahr mehrere tausend verschickt, zeigt das kalkige Gesicht unseres guten Ray vor einem blendend weißen Hintergrund. Ray meinte einmal, er sehe darauf aus wie ein Vampir im Skiurlaub, doch die Beliebtheit des Fotos bei der für den Tourneeverlauf so wichtigen Regionalpresse gibt unserer ehemaligen Agentin bis heute recht.

Sie selbst, Ria Maier senior, sah heute abend, als wir ihr nach fast genau drei Jahren zum ersten Mal wieder begegneten, sehr blaß aus. Ich gestehe, ich erkannte sie nicht gleich. Erst nach der dritten Nummer, vor dem ersten Weihnachtslied, bekam ich Gelegenheit, mir die Zuschauer anzusehen. Ray hat ein untrügliches Gespür, wann das gesprochene Wort dem gesungenen das Feld bereiten sollte. Ausführlich wie vielleicht nie zuvor erzählte er eine Anekdote aus seiner Zeit als Heizungsbauer und stand dabei dicht vor den Gebrechlichsten, deren Rollstühle die erste Reihe bildeten. Ganz außen kauerte, noch über ihr einstiges Hagersein hinaus abgemagert, auf die linke Rollstuhllehne gekrümmt, unsere einstige Managerin.

Ria Maier junior hatte uns nicht verraten, daß ihre Mutter im St.-Cäcilien-Stift untergebracht ist. Und ich bin sicher, daß sich Rays Blick erst nach dieser Conference mit dem ihren kreuzte. Denn als Dietmars Orgel mit einem mächtig pumpenden Vorspiel unseren großen Weihnachtshit anstimmte, unterlief dem guten Ray ein einmaliger Lapsus: Auf dem Höhepunkt der Saalspannung, als sogar den ganz und gar selbstvergessenen Greisen ein Funken festlichen Erinnerns in den Augen glimmte, verpaßte er den Einsatz.

Ach, es ist wohl nie ein Manko gewesen, daß Ray in all den Jahren kein vergleichbarer Hitparaden-Erfolg mehr gelungen ist. Ria Maier senior achtete streng darauf, daß wir kein weiteres Weihnachtslied als Single herausbrachten, obwohl wir regelmäßig Kompositionen deutscher und ausländischer Songwriter zugesandt bekamen. Selbst das Angebot, in der Berlin-Premiere eines vielversprechenden amerikanischen Christmas-Musicals die Hauptrolle zu singen, mußte Ray ihretwegen absagen. Ria Maier senior sagte, der Ruhm von Rays großem Weihnachtshit sei bereits genug für die Ewigkeit. Ray müsse diesem Ruhm die Treue halten, und nie, nie im Leben dürfe er in den Wahn verfallen, dem unvergänglichen Lied ließe sich ein zweites zur Seite stellen.

Ja, ich bin stolz darauf, daß ich, als Ray seinen Einsatz

verpatzte, sofort, ohne zu zögern, den Bogen durchzog und die Melodie mit meinem Instrument aufnahm. Eigentlich habe ich Cello studiert, aber Ria Maier senior, der ich als Aushilfsbratschist im Kurorchester Baden-Baden aufgefallen war, machte mir klar, daß ich noch einmal umschulen müßte. Das große Metallblatt, das wie ein Kontrabaß gestrichen wird, sieht nur wie eine riesige Säge aus. Sein scharfgezackter Rand und die klobigen Holzgriffe sind symbolisches Beiwerk, ähnlich wie der feminine Schwung im Körper der Violine.

Der alte Lehrer, den mir Ria Maier senior vermittelt hatte, sagte stets, die Singende Säge sei, noch vor dem Saxophon, das männlichste aller Instrumente. Nur das gestrichene Stahlblatt bringe zum Klingen, was uns verstockten Kerlen sonst unausgesprochen auf der Seele liegenbleibe. Er selbst, den die Gicht bereits daran hindere, die Fingerkuppen wie einst, in vielen Varieté-Jahren, auf den Knöpfen des Bandoneons tanzen zu lassen, fürchte sich vor dem Tag, an dem die Krankheit seine Hand so gekrümmt habe, daß er den Bogen nicht mehr über die Säge zu führen vermöge.

Heute, Heiligabend, als es Ray die Stimme verschlug, intonierte mein Instrument mit einem stählernen Aufschluchzen unseren Weihnachtshit, und niemand im Publikum ahnte, daß mein kraftvoller Einsatz aus der Not des Augenblicks geboren war. An der Orgel begriff der wackere Dietmar, nach einem einzigen, in der Schwebe gehaltenen Takt, daß das Ray-Getz-Trio nun zum erstenmal auf zwei Beinen in seine wichtigste Nummer hineinmarschieren mußte. Dietmar griff in die Tasten und legte mir einen Akkordteppich, so hochflorig und weich, daß die Melodie, die, ohne den Mehrwert der Worte, arg einfältig ist, dennoch nicht in Schanden erklang.

Ray, der gute Ray, spürte, daß er sich auf uns verlassen konnte. Langsamen Schritts überbrückte er die Distanz zu den Rollstühlen, er faßte die Armstützen, auf denen Ria Maiers Hände lagen, und zog ihr Gefährt weit aus der Reihe, bevor er hinter dessen Rückenlehne trat. Die Stufe zur Bühne bewältigten die beiden mit Bravour, und oben, im weißen Licht der Scheinwerfer, gelang es unserer alten Managerin, sich gerade hinzusetzen. Ihre nicht gelähmte Hand stemmte den Oberkörper in die Senkrechte, nur ihr Kopf blieb ein wenig auf die linke Schulter geneigt. So schaute sie ins Publikum, dann zu Ray, skeptisch, fast herrisch – kaum anders, als wir es von den vielen Tourneen der gemeinsamen Jahre her kannten.

Als Ray in die Knie ging, seine bauschigen Koteletten an ihre Wange schmiegte und ihr das Mikrophon vor den Mund hielt, blieb sie stumm, auch wenn sich ihre Lippen bewegten. Im Saal aber erhob sich, von meiner schluchzenden Säge geführt, ein zittriger Gesang. Die Alten kannten unseren Weihnachtshit auswendig. Viele faßten sich an den Händen, halfen einander, in einem zarten, nur angedeuteten Schunkeln befangen, von einem Vers zum nächsten. Und erst als in der dritten Strophe ihr Chor brüchig zu werden drohte, fiel der gute Ray in das Lied ein, um mit der warmen Männlichkeit seines Baßbaritons, um mit dem richtigen Wortlaut das schwankende Gedächtnis zu stützen.

Altkayser

Im Ersten Bezirk kam mein Zug an. Hier, im zentralen Kopfbahnhof der Stadt, enden alle Geleise vor einer halbkreisförmigen Wand, die einst ohne einen einzigen Stein, ganz aus Stahl und verdrahtetem Glas, errichtet wurde. Wie ein riesiges Auge ist der Hallenstirn eine alte Normaluhr eingesetzt. Ein schon unter unserer Verwaltung verfaßter Prospekt rühmt sie als den größten mechanischen Doppelchronometer Mitteleuropas, der gesamte Bahnhof wird als ein Denkmal der Technikgeschichte zur Besichtigung empfohlen.

Der Nachtzug hatte mich aus dem Westen hierhergebracht, und mit steifen Knien ging ich den Bahnsteig hinunter. Nur eine Handvoll Reisender war, gleich mir, bis in den äußersten Osten unseres Landes gefahren. Meine Augen, von der nächtlichen Arbeit am mobilen Rechner, von der Nähe des Bildschirms erschöpft, nahmen die Höhe des Tonnengewölbes und den monumentalen Zeitmesser dankbar zur Kenntnis. Verkrampft hatten meine Hände zuletzt auf der eng bemessenen Tastatur gelegen, gern trugen sie nun mein Gepäck durch die menschenleere Schalterhalle. Ich war froh über die ersten Besonderheiten, die diese Stadt am Rand unseres wieder ineinandergeratenen Landes für sich verbuchen konnte, und ökonomisch klug, weil dem Gemüt bekömmlich, schien es mir, alles Ungewohnte in den hiesigen Verhältnissen als potentielles Stimulans zu verstehen. Fatal wäre es gewesen, sich jetzt noch innerlich gegen die Versetzung zu sträuben.

Durch eine flache, aus Waben zusammengesetzte Glaskuppel drang das Licht der Morgensonne mit einem Schmelz, wie er mir im Westen unseres Landes lange nicht entgegengeflossen war. Dort, an meinem Geburtsort, der auch Ort meines bisherigen schulischen und beruflichen Werdegangs gewesen war, ist das Fehlen von eigentümlichem Wetter längst sprichwörtlich geworden. Im Freien des Vorplatzes warf mein Körper einen starken Schatten, und den rechten Arm nach vorne schwenkend, bemerkte ich, daß mein Haupthandwerkszeug, daß mein tragbarer Rechner, gegurtet an die Außenseite einer Reisetasche, in ein fast übermütiges Schaukeln geraten war.

Im Zweiten Bezirk wollte mich mein gescheiterter Vorgänger erwarten. Er hatte vorgeschlagen, mich einen Arbeitstag lang einzuweisen. Das Ganze war kaum mehr als eine freundliche Geste. Alles Wesentliche war mir nach Westen überspielt worden, in knapper und vorbildlich strukturierter Form. Mein Vorgänger, den manche üble Nachrede verfolgte, hatte von mir diesbezüglich keinen Vorwurf zu erwarten. Der Taxistand war leer, aber eine hochrädrige Straßenbahn verharrte in einem hellen, mehrstimmigen Surren. Aus drei Waggons war sie zusammengekoppelt, sechs Federbügel preßte das Gesamtgefährt an die Oberleitung. Alle Türen standen offen, und lange Leuchtröhren erhellten das Innere der Wagen noch über das Lichtmaß des Morgens hinaus.

Mit der letzten Dienstpost waren mir eine Monatskarte und ein Fahrplan der hiesigen Verkehrsbetriebe zugestellt worden. Strahlenförmig gehen die Tramlinien vom Bahnhof aus und schneiden das aus konzentrischen Kreisen aufgebaute Streckensystem der Busse. Auf den ersten Blick war mir diese Vernetzung maßlos erschienen. Maßlos wirkte auch der enge Zeittakt, in dem die plumpen Bahnen und die nicht weniger vorsintflutlichen Busse aneinander Anschluß hatten. Der ganze Beförderungsaufwand stand in einem lächerlichen Mißverhältnis zur Verödung, der die Stadt in allen vier Bezirken erlegen war.

Erst mit dem Anfahren der Bahn erröteten die Heizspiralen in den gußeisernen Zylindern unter den Sitzbänken. Meine Füße fanden Platz auf der gegenüberliegenden Bank, so entgingen Schuhwerk und Hosenbeine dem Gluthauch. Schon fingerte ich am obersten Mantelknopf, als mein Gesicht den eisigen Zug des Fahrtwinds verspürte. Durch den Fensterrahmen ließ sich ins Freie greifen, die Verglasung fehlte, und in schüttelnder Fahrt ging es ohne Halt über die nächsten Stationen. Schnell war jener Teil des Zweiten Bezirks erreicht, der in Ermangelung eines neuen Namens weiterhin RING DER KOSMONAUTEN heißen mußte.

Zum ersten Mal sah ich die imposanten Hochhäuser, die bis vor kurzem die gesamte Verwaltung der Stadt und mehrere hundert Dienstwohnungen beherbergt hatten. Aus meinen Unterlagen, aus einer kleinen kommunalen Chronik meines Vorgängers, war mir bekannt, wie das Ensemble entstanden war und warum es vor einem halben Jahr komplett hatte geräumt werden müssen. Alle Gebäude waren mit ungewöhnlich großen Keramikplatten verkleidet worden. Den schwergewichtigen Wetterschutz hatte man mit einem Kleber, entwickelt an der hiesigen Technischen Hochschule, befestigt. Dieser asbesthaltige Kunstharzmörtel sollte die üblichen zeit- und materialraubenden Verschraubungen überflüssig machen, und tatsächlich schienen die in Rekordzeit gefliesten Fassaden, panzerhaft glänzend, über Jahrzehnte beständig. Längst aber hatte saures, durch haarfeine Kanäle einsickerndes Regenwasser an Beton und Kleber gefressen. Binnen eines Tages, provoziert von einem böigen Herbstwind, löste sich ein Dutzend Platten und zerschmetterte auf Parkplätzen, Grünflächen und Straßen. Ein leitender Kader der damaligen Gesundheitsbehörde, ein Hygiene- und Desinfektionsspezialist, wurde auf dem Weg zur Arbeit von einem abgesprengten Keramiksplitter in den Hals getroffen und wäre erstickt, hätte nicht eine beherzte Passantin den Fremdkörper vor Ort mit bloßen Fingern aus dem Kehlkopf gezogen.

Aus dem Tramfenster gelehnt, den kalten Fahrtwind wie eine natürliche Brise genießend, zählte ich ab, bis zu welcher Stockwerkhöhe die Fenster in der Zeit des Leerstands kaputtgeschmissen worden waren. Unter den Rowdys mußten sich exzellente Werfer befunden haben, oder die Zerstörer hatten Katapulte benutzt. Auch meine Hände wollten nicht müßig sein. Mein Fahrtziel lag im äußersten Zipfel des Zweiten Bezirks, noch ein Dutzend Stationen entfernt. Immer war es mein Prinzip gewesen, Wege als Arbeitszeit zu nutzen. Schon war mein Köfferchen aufgeklappt, der Flüssigkristallbildschirm reflexionsfrei aus dem Licht gedreht, und eine für das Übergabegespräch relevante Tabelle leuchtete auf.

Im Dritten Bezirk sollte mein Schlafquartier sein. Mir war eine Dienstwohnung eingerichtet worden, und dorthin sollte mich mein Zeitplan führen, sobald ich mit meinem Vorgänger zusammengetroffen war. Mein bürokratischer Automatismus rechnete damit, daß der Kollege mich und mein Gepäck aus dem Zweiten in den Dritten Bezirk hinüberchauffieren würde. Die Großkantine, vor der mich die Straßenbahn auslud und die mir in einer letzten Fernkopie als Treffpunkt vorgeschlagen worden war, saß seltsam geduckt auf einem sockelartig erhöhten Fundament. Der Versorgungsbau war großzügig verglast, und sein Speisesaal ließ sich während der Öffnungszeiten wohl von allen Seiten betreten. Mein Klinkendrücken jedoch verschaffte mir keinen Zutritt, und erst ein zweiter Rundgang ließ mich die Botschaft, die mir der Kollege hinterlassen hatte, finden. Die schlampig angeklebte Folie war abgefallen. Ihre Transparenz, die auf dem Glas der Tür zur Lesbarkeit der Aufschrift beigetragen hätte, machte sie auf dem Betonboden fast unsichtbar. Zum Glück lag das Blatt richtigherum, so stach mir mein Name ins Auge. Mein Amtsvorgänger teilte mir mit, er sei verhindert, weitere Informationen seien in meinem Quartier hinterlegt.

Über seinen interpunktionslos hingeworfenen Text staunend, kam mir erstmals der Verdacht, der Kollege sei doch nicht nur an den bekannten Mißständen geschei-

tert, an jenem Wust aus organisationshistorischen Alt-
knoten und spontanem Wildwuchs, der in den westlichen Behörden als typisch östlich gilt. Längst gab es über
den unbestreitbar hochqualifizierten Fachmann amts-
internes Gerede. Schon vor seiner Versetzung wurde
über allerlei Absonderlichkeiten getuschelt. Es zeigten
sich ungute Auswirkungen seiner ursprünglich dem
Beruf dienenden Datenmanie. Aus Tüfteleien des Wochenendes drangen Schrullen in das Verfahrensgetriebe
des Dienstes. Peinlich wurde es den Kollegen, wie ei-
gensinnig, fast fanatisch der eigentlich geschätzte Mit-
arbeiter im Konfliktfall auf seinen Einfällen beharrte.
Offenbar war nun auch ich Opfer dieser Verhaltensver-
zerrungen geworden. Wichtig schien mir, nicht zuviel
Zeit damit zu verlieren. Alle Arbeit gedeiht im Vollzug.
Ein Blick auf den Stadtplan verdeutlichte, daß mein
Quartier, das ehemalige Studentenwohnheim SOLIDA-
RITÄT DER WELTJUGEND, am schnellsten zu Fuß zu
erreichen war.

Schon dreiundzwanzig Minuten später, verschwitzt
und mit Rückenschmerzen, jedoch im Wissen um meine
Kraftreserven bestärkt, betrat ich die kahle Eingangshal-
le des Wohnheims. Es roch nach Kochfett und sanitären
Desinfektionsmitteln. Das Glashäuschen des Pförtners
war unbesetzt, auf einem tellergroßen Stück Karton, mit
rotem Isolierband an die Scheibe geklebt, standen mein
Name und die Worte KOMME SOFORT, HEIMLEITE-
RIN. Unter der Pappe hing ein Schlüssel, dessen Plastik-
anhänger mir meine Zimmernummer verriet. Ein Ge-
bäudeaufriß fand sich im Fahrstuhl, mehr war zur

Orientierung nicht nötig, das mir zugedachte Appartement ließ sich direkt ansteuern.

Oben, im dritten Stock, waren offenbar Zwischenwände herausgebrochen worden, um großzügigere Raumverhältnisse zu schaffen. Die einstige Gemeinschaftstoilette hatte eine Verbindungstür zu meinem Wohnbereich erhalten, der alte Zugang vom Flur her war mit einer Hartfaserplatte versperrt. So standen mir, gleichsam privatisiert, gleich drei Klokabinen zur Verfügung. Als ich mich in die mittlere begab, erklang jedoch zu meinem Erschrecken das heftige Aufrauschen einer Druckspülung aus dem Verschlag zu meiner Linken.

Im Vierten Bezirk hatte mein Vorgänger ein Informationszentrum aufgebaut. Das ganze Konzept war seine Idee, und er hatte es gegen erhebliche interne Widerstände durchgesetzt. Ich war ihm dafür zu Dank verpflichtet, denn die Gründung dieses ZENTRUMS FÜR INFORMATIONSERHALT UND NEUVERNETZUNG hatte die hiesige Arbeit über die Entsorgung des nicht mehr Existenzfähigen, über ein schieres Abdecken, hinausgetrieben. Auch deswegen schwelte in der Westbehörde ein Groll gegen ihn. Selbst Kollegen, die nicht davon betroffen waren, zogen mißmutig Schnuten und verstummten, sobald ein Gespräch zufällig an das eigenwillige Projekt rührte.

Erneut heulte die Spülung in der linken Klokabine auf. Vorhin, als sie mich zum erstenmal überrascht hatte, überfiel mich die Befürchtung, die Heimleiterin habe ausgerechnet die Toiletten des mir zugewiesenen Appartements aufgesucht, um ihre Blase zu erleichtern. Sogleich stand mir ein vages, dennoch abstoßendes Bild der Niegesehenen vor Augen: Gedrungen und muskulös stellte ich sie mir vor. Und dies nicht ohne Grund. Schon bald nach Beginn unserer Ostarbeit war sie Gegenstand gewisser Gerüchte geworden. Seinen Höhepunkt erreichte das Getuschel, als mein Vorgänger in Kontakt mit ihr geriet. Die Heimleiterin hatte nicht nur das ehemalige Studentenhaus, sondern alle kommunalen Wohneinheiten der Stadt unter sich. Zwangsläufig ging jeder, der aus den Westbehörden hierher versetzt wurde und Anspruch auf Unterbringung erhob, durch ihre Hände.

Diese Befugnisfülle war mehr als erstaunlich, denn die fragliche Person hatte noch kurz vor dem Umschlagen der Verhältnisse Majorsrang in einem Sicherheitsorgan der alten Ordnung bekleidet. Für solche Halbmilitärs gab es zwar die Möglichkeit, im nervösen Aufwuchern der Übergangswirtschaft Fuß zu fassen, aber von leitenden Stellungen in den neuaufgeforsteten Behörden wurden Funktionsträger der einstigen staatlichen Sicherheit grundsätzlich ausgeschlossen. Heimleiter und schließlich Heimstättenorganisator der ganzen Stadt zu werden wäre dem dienstlosen Major verwehrt gewesen, hätte er nicht, hellsichtig früh, jenen radikalen Weg beschritten, der die Ausnahme von der Regel darstellte.

Im Tratsch unserer Mutterbehörde wurde zwanghaft über diese rettende Maßnahme, ihren operativen Vollzug und über ihr physisches Ergebnis gemutmaßt. Einerseits hieß es, der Major habe die kostspielige Operation und

die aufwendige Nachsorge noch ganz von der Kranken-
versorgung des Ost-Reichs bezahlt bekommen. Eine Se-
kretärin behauptete sogar zu wissen, die Umarbeitung
des einstigen Majors zur jetzigen Heimleiterin habe in
der Luxusklinik der ehemaligen Staatsführung stattge-
funden. Dieses Waldsanatorium in der Nähe der Hauptstadt sei längst für dergleichen eingerichtet gewesen, und
man habe beste Arbeit auf Westniveau geleistet.

Andere, allen voran ein EDV-Mitarbeiter meines Vorgängers, Ostflüchtling früherer Jahre, widersprachen
dieser Darstellung in wichtigen Punkten. Zwar treffe es
zu, daß der Major schon in einer Ostklinik so umgestaltet worden sei, daß er nach der Wende als westbehörden-
tauglich habe gelten können. Die anatomische Transfor-
mation habe jedoch nicht den im Westen üblichen
Standard erreicht. Im Gegenteil: Die nötigen Beschnei-
dungen und Additionen hätten in der für Osttechnik
und Ostchirurgie typischen Plumpheit, ja Roheit geschehen müssen. Grundfalsch sei außerdem die Annahme,
der seinen Dienst fliehende Major habe die Behandlung
gratis erhalten. Die ebenfalls um ihre Zukunft bangen-
den Ärzte hätten ihm vielmehr auf erpresserische Weise
seine nicht unerheblichen Ersparnisse abgenommen.

Eine dritte Version des Vorgangs, die zwischen den
Gerüchten quasi vermittelt, wurde mir noch kurz vor
meiner Abreise mitgeteilt. Einer unserer Fuhrparkchauf-
feure hatte meinen Vorgänger bei dessen einzigem Ur-
laub in der gemeinsamen Stammkneipe getroffen. An
der heimischen Theke habe ihm der Versetzte von Mann
zu Mann und in beiderseitiger Trunkenheit beschämen-

de Details anvertraut. Die Heimstätten-Distributorin verfüge über bestürzende primäre und sekundäre Merkmale. Die operative Umgestaltung sei von einem russischen Chirurgen, einem Gastdozenten an der medizinischen Fakultät der Hauptstadt, geleitet worden. Der greise Operateur, schon unter Stalin Teilnehmer an streng geheimgehaltenen einschlägigen Versuchen und Begründer einer Schule für Gestaltchirurgie, habe sich das üppige Ausgangsmaterial des Majors zunutze gemacht und Imposantes geschaffen. Auch mit den im Osten kostbaren, weil aus den USA importierten Spezialsilikonen und den vorbereitenden wie nachsorgenden Hormonkuren sei verschwenderisch, ja exzessiv verfahren worden.

Ein Glück, daß das langanhaltende Rauschen der Spülung im Sanitärteil meines Dienstappartements nicht von der starken Hand der Heimleiterin herrührte. Ein Vorstoß in die betreffende Kabine hatte alles geklärt. Es handelte sich um eine jener für den Osten typischen technischen Kuriositäten, um eine falsch eingestellte Druckausgleichsfeder oder um eine Materialermüdung derselben. Damit umzugehen ließ sich lernen. Weitaus schwieriger wäre es gewesen, der vielleicht noch den Sitz ihrer Strumpfhose regulierenden Heimleiterin vor der Tür der Klokabine mit der nötigen Sachbezogenheit entgegenzutreten.

Auf dem Schreibtisch am Fenster lag ein Kuvert, adressiert an mich in der Handschrift meines Vorgängers. Es enthielt nichts als eine graue Diskette. An der Machart der Papphülle erkannte ich, daß der Datenträger zum alten einheimischen EDV-System gehörte. In den hiesigen Forschungsstätten hatte man in einer verzweifelten Zusammenkrampfung aller Ressourcen sogar noch einen eigenständigen Individualrechner entwickelt, bevor auch diese technologische Teilwelt wie eine überhitzte Bildröhre implodierte.

Daß ich bereits am Tag meiner Ankunft in den Fünften Bezirk gelangte, kommt einem Wunder gleich. Im mir überspielten Datenmaterial findet sich nicht der kleinste Hinweis auf die Existenz dieses Teils der in vier Bezirke aufgeteilten Stadt. Selbst mein verwaltungslogisch ausgefuchster Verstand hat bis heute Mühe zu akzeptieren, auf welch unorthodoxe Weise diese fünfte Sphäre in den Raum der vierten eingebettet ist.

Von den Fenstern meines Appartements bot sich ein grandioser Ausblick. Das bestechend klare Wetter machte eine Fernsicht möglich, die mich auch weit entfernte Objekte als umrißscharfe Miniaturen erkennen ließ. An dieser Deutlichkeit gemessen, erschien es finstere Vergangenheit, daß die Stadt vor der Umwälzung unter einem jede Kontur verschmierenden Smog gelitten hatte. Kinderleicht war es für den, der sich an markanten Großgebäuden und den Schneisen der Ausfallstraßen orientierte, das ganze Panorama zu verstehen. Schnell fand mein Blick zum zentralen Platz des Vierten Bezirks, der noch immer, trotz der himmelschreienden Antiquiertheit des Namens, ARENA DER ARBEITERZUKUNFT heißt.

Von meinem momentanen Ausguck war die Plastik in

der Mitte des Platzes gut zu sehen. Mein rühriger Vorgänger hatte mir eine ganze Serie von Skizzen übersandt, auf denen er dem mächtigen Bildnis aus schwarzem Granit aus verschiedenen Perspektiven gerecht zu werden versuchte. Das Monument läßt sich vereinfachend als maßstabsgetreue Vergrößerung einer Totenmaske bezeichnen. Sie liegt horizontal, Nase und bartüberwölbte Kinnkuppe sind zum Himmel gerichtet, Haupthaar, Ohren und Bart gehen in einen felsenartig strukturierten Sockel über. Die buckelige Gesamtform und das seltene, auf Hochglanz polierte Material hatten den Volksmund zu immer neuen Spitznamen inspiriert. Ein Verzeichnis, das mein Vorgänger angelegt hat, zeigt, wie der Einfallsreichtum der Gewitzten in der Krise des ersten Umschwungs noch einmal in einer Vielzahl frischer Prägungen gipfelte, bevor das Denkmal an den Rand der Wahrnehmung rückte und im Lärm allgemeinen Umbenennens keinen weiteren Beinamen an sich binden konnte.

Der gewaltige Halbschädel ist natürlich nicht aus einem einzigen Granitblock gehauen. Eine Computergraphik meines Kollegen veranschaulicht die Gesichtsfläche des Verewigten als ein Puzzle unterschiedlich großer Steinplatten. Die schweren Stücke ruhen auf einer Stahlkonstruktion, die aus statischen Gründen tief in den Boden hineinreicht. Trotz seiner überwältigend massiv wirkenden Steinhaftigkeit ist das Antlitz auf eine fast organische Weise hohl. Dieser Innenraum wurde von Anfang an als Werkstatt genutzt, denn der komplizierte Bau erwies sich als wetterfühlig und erschütterungsempfindlich. Ein plötzlicher Temperatursturz durch starken Ostwind, das Hüpfen eines überladenen Lkw-Anhängers infolge eines Schlaglochs – wenig genügte, um Verspannungen im Stahlskelett oder Risse im schwarzen Fugenkitt zu verursachen. Kühn und kalt berechnend muß man meinen Vorgänger nennen, wenn man sich vor Augen hält, daß er schon unmittelbar nach seiner Ankunft beschloß, in der frischverwaisten Werkstatt, in der Höhlung des Denkmals, sein Informationszentrum einzurichten.

Starke motorische Unruhe und das Gefühl, nicht zu spät kommen zu dürfen, zwangen mich, sofort dorthin aufzubrechen. Mir war eine Gruppe Fahrräder aufgefallen, die in Reih und Glied vor dem Eingang des Wohnheims standen. Die dunkelgrauen, spartanisch simplen Räder wiesen eine Besonderheit auf: Das Verbindungsrohr zwischen Sattel und Lenkstange war nicht gerade, sondern nach oben gewölbt. Unter diese Krümmung, die den Zweirädern etwas Vorwärtsdrängendes verlieh, war ein Blechschild geschweißt, das in gestanzten Großbuchstaben die Aufschrift FUHRPARK trug. Diese Zweckbestimmung stach mir beim Verlassen des Wohnheims zum zweiten Mal ermutigend ins Auge, und ich packte die Lenkstange des erstbesten Rads, schwang mich in seinen Sattel – obwohl in meinen Unterlagen nur von der Verfügungsgewalt über vier Zweitakt-Pkws aus den Beständen aufgelöster Altbehörden die Rede gewesen war.

Die Fahrt vom Dritten Bezirk hinüber in das Zentrum des Vierten mutet mich rückblickend wie ein

Abenteuer an. Meine nervöse Aufmerksamkeit beschränkte sich so ausschließlich auf die verwegene Eigenart meines Untersatzes, daß ich von den städtebaulichen Gegebenheiten links und rechts des Weges rein gar nichts wahrnahm. Konzentriert auf den mechanischen Ablauf, registrierte ich nicht, wie stark oder schwach die durchfahrenen Straßen von Einheimischen belebt, wie locker oder dicht der mich einschließende Verkehr beschaffen war. Das Rad besaß nicht einmal einen Freilauf. Solange sich die hintere Nabe drehte, waren auch die Pedale in Bewegung. Ein schnelles Anhalten wäre nur durch eine abrupte Blockade der verketteten Drehkreise möglich gewesen. Kein Fortschritt war mir je so zwanghaft, so offensichtlich nur durch eine Katastrophe aufhaltbar vorgekommen wie diese rasante Zweiradfahrt hin zur Arena der Arbeiterzukunft. Mit der Rechten hielt ich die klobige, bloß aus einem verrosteten Eisenrohr bestehende Lenkstange gepackt, mit der Linken schwang ich das Köfferchen meines Rechners zum Auf und Ab der Pedale.

Der Zugang zum Inneren des Denkmals befindet sich am Rand des weiten Platzes. Er ist in einem Kiosk verborgen, in dem einst Stadtpläne, historische Reiseführer und Ansichtskarten angeboten wurden. Wie viele kommunale Einrichtungen war auch diese Dienstleistung längst zum Erliegen gekommen. Die Verkaufsfenster waren mit Spanplatten vernagelt, aber die Hintertür, durch die man auf eine steile Wendeltreppe und dann in den unterirdischen Gang kommt, war unverschlossen. Der Tunnel, der zum Monument führt, ist trotz seiner Länge ein elendes Bauwerk. Höhe und Breite sind fast unmenschlich, zumindest frühmenschlich knapp dimensioniert, selbst kleine Männer wie ich werden zu einem gebeugten Tippeln genötigt. Die Mitnahme von Gerät oder Gepäck verlangt akrobatische Verrenkungen, man ist froh, den eigenen Leib durch die Enge fädeln zu können. Dazu wird von den übergroßen, aber lachhaft lichtschwachen Deckenlampen ein rhythmisches Niederbükken erzwungen. Schlüpft man, ängstlich nach oben schielend, unter den Ungetümen hindurch, wächst die Wahrscheinlichkeit, in eines der Löcher zu tapsen. Der Tunnel ist schmierig feucht, und in den Vertiefungen des Gangbodens sammelt sich eine Flüssigkeit, deren Zersetzungsgestank auf das Einsickern von Fäkalien schließen läßt. Daß sich die Kanalisation der Stadt in einem gotterbärmlichen Zustand befindet, macht ein umfassender Bericht meines Vorgängers an schlagenden Beispielen deutlich.

Der Verdacht, als Spätling unterwegs zu sein, steigerte sich auf dem letzten Stück der Gangdurchquerung zur unerträglichen Gewissheit, und ich nahm keinerlei Rücksicht mehr auf Kleidung und Gerät. Meine rechte Faust, das Rechnerköfferchen im Griff, und mein rechtes Knie rammten die Tür am Tunnelende auf, das Blech ihrer Unterkante schleifte kreischend über den Boden. Dahinter, in der reinen Finsternis der Werkstatt, in die ich vernunftlos weit hineinstürmte, verhinderte nur der Zufall einen Sturz. Meine zitternde Linke hielt das Gasfeuerzeug hoch über den Kopf, und der schwankende Schein des Flämmchens offenbarte ein herzzerreißendes Durcheinander. Tränen schossen mir in die Augen. Im Informationszentrum meines Vorgängers, in der vormaligen Denkmalswerkstatt, hatte barbarische Zerstörungslust getobt. Eine einzige Glühbirne war unzerschlagen und verschaffte mir einen ernüchternden Überblick über das Ausmaß der Verwüstung. Wie das Inventar einer Gefängniszelle waren die Gegenstände Zielpunkte eines Verlangens nach umfassender Zertrümmerung geworden.

Das Zentrum für Informationserhalt und -neuvernetzung war, so viel ließ sich immerhin erkennen, ein raffinierter Zusammenbau von altem Ostgerät und neuester Westware gewesen. Mein über das Chaos schweifender Blick identifizierte einiges, was selbst in unserer Mutterbehörde erst auf den Wunschlisten stand. Es stimmte also, was als Gerücht der Gerüchte über den Vorgänger gemunkelt worden war: Er hatte aus eigener Tasche und aus geheimen Altkassen modernste Rechner bezahlt. Die Zerstörer, wer immer sie gewesen sein mochten, hatten das Alte wahllos über das Neue gestürzt. Hast und Roheit ihres Vorgehens waren eklatant. Hier witterte ich eine Chance. Meine Suche verlief geordnet, in einer gegen den Uhrzeigersinn gerichteten Spirale von außen nach innen. Und schon beim ersten Rundgang durch das Gewölbe fand sich am Fuß eines restlos abgeräumten Wandregals ein Apparat, bei dem lediglich das Gehäuse leicht beschädigt schien.

Wer zählte die Stunden, wenn er unterirdisch, unter schwarzem, tonnenschwerem Granit, eine dienstliche Angelegenheit verfolgen darf. In einem Haufen kleinerer

Trümmer verborgen, lag die halbvolle Flasche einer im Osten gebrauten, colahaltigen Erfrischungslimonade, und mein Mund, rüsselartig gespitzt, schlürfte den vergorenen Rest wie Nektar. Dann machten sich meine Augen und meine Hände wieder ans Werk. Jeder in langwierigen, hochkomplizierten Tätigkeiten Erfahrene kennt die eigentümlichen, dem Gesamtzweck scheinbar widersprechenden Randumstände eines solchen Tuns: Vergeßlichkeit, partielle Blindheit und seltsame Fehlleistungen begleiten das überkonzentrierte, fast grellbewußte Vorgehen. In obskurem Einverständnis, fast verschwörerisch, zwinkern sich Plan und Zufall zu. Und so ist es nichts Besonderes, sondern liegt ganz und gar in der Natur des Verfahrens, daß mir das stete Hintergrundgeräusch meines Suchens und Aufbauens erst auffiel, als ich fertig war. Gerade verschwand die an mich adressierte Diskette in einem schmuddeligen Laufwerk, gerade lehnte ich mich, ein erstes Bild erwartend, vom Monitor zurück, als es den feinstrukturierten, sich polyrhythmisch verändernden Lauten gelang, auf meine Wahrnehmungsoberfläche durchzustoßen.

Das Geräusch kam aus einem großen Karton in meinem Rücken. Wie andere Dinge hatte ich ihn nicht mehr untersucht, weil ich das erforderliche Gerät beisammen glaubte. Der hüfthohe Behälter stand, sorgfältig verklebt, wie zum Transport bereit, in der Mitte des Fußbodens. Auch das zarte, aber deutliche Scharren aus seinem Inneren schien in seiner Pausenlosigkeit auf baldigen Aufbruch zu drängen. Ein plötzliches Absinken meines Blutzuckerspiegels oder die berauschende Wirkung der verdorbenen Ost-Cola beschleunigte die Interpretation des Gehörten: Womöglich hatte mein Vorgänger in geistiger Umnachtung sein eigenes Werk verwüstet. Womöglich war der Verwirrte dann von der muskulösen Majorin entdeckt und in diese Pappkiste gezwungen worden. Womöglich war dies alles eine tückische Falle, die mich, den Nachfolger, um Verstand und Amt bringen sollte. Womöglich mit Erfolg. Denn war ich der für mich ausgelegten Köderkette nicht nachgegangen, wie ein primitiver Vielbeiner den Spuren eines synthetisierten Sexualduftstoffes folgt?

Diese Hirngespinste und ein in der Kühle des Gewölbes doppelt effektvoller Angstschauder drohten mich zu lähmen. In einer Art Kältestarre verharrte mein warmblütiger Körper vor dem Karton, auf den, um die Rätselhaftigkeit noch zu erhöhen, mit rotem Filzschreiber ein großes Vau und ein fetter Punkt gemalt waren. Mit lidschlaglosen, brennenden Augen, mit schmerzhaft verkrampften Backenmuskeln, mit heißdurchbluteten Ohrmuscheln stand ich über die Pappkiste gebeugt, lauschte dem impertinenten Scharren in ihrem Inneren, bis mir ein kreischender Schrei entfuhr, bis meine Finger und meine Zähne, ohne Rücksicht auf Nägel und Lippen, den starken Karton auseinanderrissen.

Inzwischen, nachdem ich die Diskette meines Vorgängers gesichtet habe, lächelt fast alles in mir über jenen Stillstand wie über das panische Handeln, in das er umsprang. Das Datenmaterial, die immaterielle Hinterlassenschaft meines verehrten Vorgängers, ist ohne weitere Widrigkeiten auf dem Bildschirm erschienen. Das

schlichte Nacheinander der einzelnen Informations-
blöcke gibt einem in einschlägigen Programmen Ver-
sierten keine Rätsel auf. Wohlweislich verzichtet mein
lieber Kollege in seiner Darstellung auf das verbundene
Wort. Demütig dienen einzelne Begriffe den Schaubil-
dern als Überschriften oder Fußnoten, und sogar diese
Wörter wirken, verglichen mit der milbenhaften Beweg-
lichkeit der piktogrammatischen Zeichen, klobig und
gichtig altersstarr. Stumm und kopfnickend durchwan-
dert der Nachfolger die vorgegebenen Rahmen. Mein al-
terierendes Fingertippen reiht Diagramm an Diagramm
und schickt den Suchpfeil in die dreidimensionalen Land-
schaften der Datensäulen.

Jetzt, in optimaler Nähe zum Bildschirm, bei margi-
nalem Pupillenrucken, beschämt mich die Erinnerung
an meinen ersten Blick in den Karton. Wie gehetzt, wie
vom Geahnten zum Erkannten flüchtend, starrte ich,
gierend und zugleich zurückzuckend, in die Tiefe. Gemessen an meinem Fund, gemessen an der Arbeit meines Vorgängers, bleibt eine solche Art zu sehen nichts als
eine ein allerletztes Mal anrührende, in Zukunft aber
auszumerzende ästhetische wie moralische Marotte.

Im Grund des Kartons steht ein flacher, mit Styropor
ummantelter Glaskasten. Der durchsichtige Deckel
macht aus dem Inhalt alles andere als ein Geheimnis. Auf
der schwammartig porösen Bodenplatte, die Halt gibt
und Feuchtigkeit speichert, sitzt eng beieinander eine
Gruppe kapitaler Sechsbeiner. Die Hornhäkchen ihrer
Geh- und Beißapparate sind hart und schwingungsfähig,
sie erzeugen auf dem Bodenbelag ein leises Rascheln.

Das einfache Terrarium bewohnen fünf annähernd gleich große Küchenschaben. Angeblich ist diese in Gesamteuropa heimische Spezies in unseren westlichen Großstädten ausgestorben. In Wirklichkeit aber hat sie auch dort diverse Vernichtungsfeldzüge überdauert. Daß man sie nicht sieht, ist nicht Beleg ihrer Ausrottung, sondern beweist nur, mit welch perfekter Bescheidenheit die uranfängliche Mitbewohnerin aller menschlichen Behausung uns die Treue hält.

Um einer Schabe Finger gegen Fühler gegenüberzustehen, muß keiner von uns in den hintersten Osten reisen. An unseren Arbeitsplätzen genügt es oft, den Stuhl auf den Schreibtisch zu stellen und eine Platte der Deckenverkleidung abzuhebeln. Schon hat man den flexiblen Allesfresser kopfüber vor Augen. Die Tiere lieben die wohltemperierten Schächte, Röhren und Hohlräume der modernen Luft- und Energieversorgung, und nicht selten mischen sich dort, in harmonischer Koexistenz, einige eingeschleppte amerikanische Schaben, dicker und glänzender, gleich einer heimgekehrten Utopie, unter ihre biederen alteuropäischen Vettern.

Dennoch konnte es meinem umtriebigen Vorgänger allein im Osten gelingen, eine absolute Rarität des gemeinen Getiers zu erbeuten. Hier in der Mitte der Stadt, unter ihrem kahlsten Platz, unter dem Granitpuzzle, unter der Totenmaske eines genialen Vordenkers, fand sich ein sogenannter Kakerlakenkönig. Diese Zusammenbildung mehrerer Einzelwesen entsteht vermutlich auf früher Entwicklungsstufe. Bereits die Eier, die das Muttertier, auf den Rückenschild geklebt, mit sich trägt, sind nicht sauber voneinander geschieden, sondern über eine Membran in chemischer Kommunikation befangen. So gut wie nichts wissen wir über den Charakter des Stoffwechsels. Die dann geborenen Geschwistertiere sind an Kopf oder Hinterleib aneinandergewachsen. Trotz ihrer stark eingeschränkten Fortbewegungsfähigkeit bleibt diese Zwangsgemeinschaft am Leben. Denn an seiner Peripherie wird das Körperkollektiv von Einzeltieren wie von einem Hofstaat mit Futter versorgt – domestike Dienstleistungen, die vielleicht auch die überdurchschnittliche Größe erklären.

Ein solcher Kakerlakenkönig war, trotz erwiesener Existenz, immer mehr Saga der Handbücher als Objekt der Forschung gewesen. Im naturwissenschaftlichen Museum unserer Hauptstadt wird ein einziges, uraltes Präparat aufbewahrt. Elend verschrumpelt und durch mißratene Konservierungen lackähnlich glasiert, läßt es nicht ahnen, wie sich ein derartiger Verbund lebendig, wie sich der fiebrige Ostfund meines Vorgängers ausnimmt.

So viel, so gut. Unser Kollege hat sich in verständiger Beschränkung damit begnügt, das Spiel des Königs auf einer einzigen Ostdiskette zu beschreiben. Hier setzt unsere Arbeit an. Noch leiden unsere Observationen an Schwärmerei, noch blenden wir uns mit Verzückung, noch tippeln wir in bloßer Anbetung auf der Stelle. Noch scheut sich der methodische Apparat, die hochkomplexen Selbstumkreisungen unseres fünfköpfigen Königs mit ersten Parametern zu betasten. Aber seien wir unbesorgt. Insgeheim sind wir schon kühl und konzentriert genug, um die notwendigen Vernetzungen in die Wege zu leiten. Ja vielleicht ist vieles, was wir uns scheuen anzugehen, bereits durch uns hindurch wie in luzidem Schlaf geschehen.

Gez. Altk.

Recken

Old Erfurt

Mary Ann Lauterbach kam mit dem Frost nach Erfurt. Als sie den vormittäglichen Bahnhofskorso Richtung Innenstadt hinaufging und ihre erste deutsche Straße mit den schnell schwenkenden Blicken der Expertin prüfte, knirschte das Granulat, das in der Nacht gegen die aufkommende Glätte gestreut worden war, unter ihren Schritten, und die Straßenbahnen sangen hell, fast rein in den Schienen. Der Stahl, über dessen Gedächtnis so gut wie nichts bekannt ist, schien nach der ersten Frostnacht denen, die Ohren dafür haben, etwas mitteilen zu wollen. Und da den Leuten hierzulande die Jahreszeiten noch immer allerlei bedeuten, unterstellten die Erfurter Straßenbahnführer jedem in der Spur aufklingenden Rad, daß es sich über die endlich zupackende Kälte freue.

Am Bahnhof hatte sie einen Taxichauffeur schätzen lassen, was die Fahrt zum Hotel kosten würde, und ihn dann mit dem Gepäck vorausgeschickt. Wie überall auf der Welt gefiel es ihr, einem Wildfremden zu vertrauen. Als gute Amerikanerin wollte sie auch in Erfurt einigen Menschen Mary Ann Lauterbachs persönlichen US-Kredit samt der Chance, ihn zu verspielen, offerieren. Nur ihr Notebook, in dem alle wichtigen Projektdaten gespeichert waren, trug die große platinblonde Frau in einer Lackumhängetasche an der Hüfte, als sie auf halbem

Weg in die Altstadt innehielt, um an einem vietnamesischen Imbiß eine Portion gebratener Nudeln zu essen.

Deutsch ist eine schwierige Sprache. Entschieden behaupten dies die Deutschen selbst, die es doch am wenigsten erfahren können. Mary Ann Lauterbach war vor vierzig Jahren, als kleines Mädchen, zunächst von ihrem Dad, dann, weil Vater und Tochter nicht recht vorankamen, von einer alten österreichischen Emigrantin und schließlich von einem Au-pair-Mädchen aus Düsseldorf im Deutschen unterrichtet worden. Später hatte sie German Studies in Boston und ein Jahr lang in Zürich Germanistik studiert. Jetzt, während ihr Erfurt mehr und mehr zu gefallen wußte, dachte sie beiläufig daran, daß es dem Deutschen, das sie oberflächlich rundum beherrschte, wohl niemals gelingen würde, in ihr Fleisch und Blut überzugehen.

Gestützt auf einen Faltplan, machte sie eine kleine Tour durch die leider noch schneelose Altstadt, besah sich einige der schönsten Fachwerk-Attraktionen, sparte jedoch das fragliche Objekt, obwohl es in der Nähe lag, erst einmal aus. Auf dem Weg durch den geschlossen erhaltenen und inzwischen auch großenteils sanierten Stadtkern wurde ihr kalt. Ihr schwarzer Kunstfellmantel, der im letzten, wahrlich nicht milden Winter in Minneapolis gute Dienste geleistet hatte, schien dem schwachen, in Erfurt aber irgendwie gründlicher durchbeißenden Wind nicht gewachsen. Vielleicht hatte dies auch mit den Strapazen des Interkontinentalflugs zu tun. Mary Anns Aufmerksamkeit für das touristisch Exploitierbare erlahmte, Unwichtiges eroberte ihre Aufmerksamkeit, und als sie in einer besonders malerischen Altstadtgasse eine Kneipe entdeckte, über deren Eingang ausgerechnet das Schild ‹Old San Francisco› prangte, wurde sie von einem heftigen Frösteln geschüttelt. Zugleich hatte sie, wie es ihr in Momenten der Erschöpfung und Dekonzentration ab und zu geschah, das Gefühl, von den milchiggrauen Augen ihres greisen Vaters beobachtet zu werden.

Glen Lauterbach hatte sich, als Mittvierziger in den sogenannten besten Jahren, große Mühe gegeben, seinem gerade eingeschulten amerikanischen Töchterchen die Vatersprache leicht und süß zu machen. Damals blühte das Musikaliengeschäft auf wie nie zuvor, langhaarige Jünglinge rissen sich die Ladenklinke aus den Fingern, weil jeder Schwärmer, der noch nicht taub war von dieser angeblich neuen Musik, bei LAUTERBACH'S nach der zu ihm passenden elektrischen Gitarre suchte. Glen Lauterbach, der mit einem kleinen Fachgeschäft für europäische Akkordeons und Hammondorgeln begonnen hatte, wußte, daß sich nur derjenige auf dem hartumkämpften Musikinstrumentenmarkt behauptete, der einen solchen Sehnsuchtsboom schnell und entschlossen auszunutzen verstand. Und dennoch, obwohl er außer dem Hauptgeschäft noch eine frisch eröffnete Filiale zu leiten hatte, nahm er sich jeden Nachmittag anderthalb Stunden frei, um sein einziges Kind in die Anfangsgründe des Deutschen einzuführen.

Dies fiel ihm schwer. Er selbst hatte seine Muttersprache zuletzt im Krieg gesprochen. Vom FBI und den US-Geheimdiensten war er zwei Wochen lang fast rund um die Uhr verhört worden. Fragen und Antworten waren gedolmetscht worden, und am Ende, während des knapp einstündigen Schnellverfahrens vor dem geheimen Militärgericht, hatte er sich auf deutsch schuldig bekannt, obwohl dazu auch sein Englisch ausgereicht hätte. Als er der kleinen Mary Ann zum ersten Mal aus einem nagelneuen Lehrbuch vor Fröhlichkeit strotzende Sätze vorlas, klangen ihm die deutschen Wörter, von fünfundzwanzig toten Jahren auferstanden, schief und hölzern, ja sogar gespenstisch höhnisch in den Ohren. Seine Tochter, die ohne Widerstreben, aber auch ohne besondere Neigung mit ihm lernte, tat ihm leid. Aus eigenem Antrieb wäre Glen Lauterbach niemals darauf verfallen, die Sechsjährige mit diesen schnarrenden Silben zu bedrängen. Aber Befehl war Befehl. Seine kaputte Uhr hatte es ihm befohlen. Auf deutsch. Und ein deutscher Befehl war, auch nach so langer Zeit, ein Befehl geblieben.

Das Dorint-Hotel in Erfurt gehörte seit einem Vierteljahr zur Firmengruppe. Great Eastern Homes verfügte bereits über 24 Hotelanlagen in der ‹Transit Interzone›, wie der multinationale Sektor zwischen Berlin und Sankt Petersburg konzernintern hieß. An der Rezeption wurde Mary Ann Lauterbach vom Geschäftsführer erwartet, einem älteren Mann, dem der Schweiß im schütteren grauen Schnauzbart perlte. Sein Business English quäkte, wahrscheinlich hatte es ihm ein Crash-Kurs für Späteinsteiger erst kürzlich in die Kehle gepreßt. Mary Ann tat ihm nicht den Gefallen, ins Deutsche zu wechseln. Und wie sie dann oben, in ihrer Suite, bis an die Unterlippe im heißen Badewasser lag und den Schaum von sich weg blies, überlegte sie, ob es wohl günstig wäre, auch Waldemar Umbreit, den Eigentümer des Alten Färberhauses, ihren Verhandlungspartner, mit einem rücksichtslos silbenverschleifenden Amerikanisch anzugehen.

Sie nahm das Handy, das man ihr am Empfang zusammen mit den allerneusten Unterlagen übergeben hatte, vom Wannenrand. Bei Herrn Umbreit meldete sich ein heftig rauschender und umständlich besprochener Anrufbeantworter. Mary Ann hörte sich an, wie dieser noch junge Mann einen großen Teil der zur Verfügung stehenden Bandlänge dafür verschwendete, zu erklären, daß er sich nicht in der Nähe des Telefons befand oder nicht willens war, den Hörer abzuheben. Als endlich ein schrilles Pfeifen ertönte, bat sie, halb verärgert, halb belustigt und nun doch auf deutsch, sie heute nachmittag um vier für eine erste Besichtigung abzuholen.

Waldemar Umbreit ging es viel besser, seit ihm die Erscheinungen beistanden. Selbst die quälenden, die wahrlich herabwürdigenden Verhandlungen mit der Dresdner Bank hatte er zuletzt in einer Weise bewältigt, wie er es sich noch vor vier Wochen nicht einmal im Traum ausgemalt hätte. Ihm war Zahlungsaufschub bis zum Jahresende gewährt worden, denn er hatte es geschafft, seinen Kontakt zu Great Eastern Homes, der auf wenigen Telefonaten mit der Berliner Zentrale beruhte und sich außer in zwei unverbindlichen Fax-Schreiben nicht nachweisbar niedergeschlagen hatte, als zukunftsträchtig darzustellen. Die Banker, selbst ihr schlimmster, ein gewisser Dr. Rombele, der ihm bei jedem der Kundenbetreuungsgespräche peinliche Fragen nach seinem privaten Erfurter Umfeld stellte, schienen dem Kreditnehmer Umbreit einen Abschluß mit der US-Hotelkette zuzutrauen. Rombele, der ebenfalls aus Stuttgart stammte, doch im Gegensatz zu Waldemar den heimischen Dialekt genüßlich in seinem Berufshochdeutsch anklingen ließ, war ihm gestern sogar noch bis in die Schalterhalle nachgelaufen, hatte ihm sein Kärtchen zugesteckt und ihm persönliche Hilfe, seinen, wie er es nannte, landsmannschaftlichen Beistand für die Verhandlungen mit den Amis, angeboten.

Waldemar wußte, daß er diese Erfolge allein den goldenen Würmchen zu verdanken hatte. Direkt instruiert hatte sie ihn selten, stets jedoch war ihm von den Tierlein tüchtig Mut zugesprochen worden. Gelegentlich hatte er immer noch Mühe, sie richtig zu verstehen. Die Würmchen sprachen Thüringisch, allerdings eine vitale, altertümliche Variante der Mundart, die Waldemar nie zuvor, auch nicht von seiner bis zu ihrem Tod Thüringisch mit ihm redenden Großmutter, gehört hatte. Zudem führte das unaufhörliche Züngeln der Wurmmäulchen zu einer Art Lispeln, das dem Chor der zarten, sich ganz leicht zeitverschoben überlagernden Stimmen zwar etwas wunderbar Sirrendes gab, das sichere Heraushören einzelner Wörter aber stark erschwerte.

Waldemar schlüpfte in das dunkelblaue Seidenhemd. Die Würmlein hatten ihm vor drei Tagen zum Erwerb eines solchen Hemdes geraten, jetzt wiederholten sie, wie vorteilhaft der glänzende Stoff Waldemars jugendlich strahlendes Augenblau unterstütze und wie günstig es sei, daß die Amerikaner eine Frau zu den Verhandlungen geschickt hätten. Und schlagartig war es still. Immer zogen sich seine neuen Freunde ohne ein Abschiedswort zurück. Schnell warf er noch einen Blick in ihren Palast, aber in dem verbeulten emaillierten Handwaschbecken, das er vor einem Monat im Ausgrabungsschutt auf dem Innenhof des Alten Färberhauses gefunden hatte, war schon kein einziges goldenes Schwänzchen mehr zu sehen.

Frau Lauterbach erwies sich zu Waldemars Erschrekken als eine attraktive, amerikanisch schöne Frau. Während er ihr die Hand schüttelte, gelang es ihm nicht, ihr so tief und lang in die Augen zu blicken, wie er es den Würmchen versprochen hatte. Zum Glück schlug sie vor, erst einmal einen kleinen Rundgang durch die Innenstadt zu machen. Sie sei gerade erst mit dem Taxi vom Bahnhof gekommen, habe noch nichts gesehen, sei überhaupt zum ersten Mal in Europa und voll Neugier auf die Alte Welt. Dies und noch mehr erzählte sie ihm in einem rasant flüssigen Deutsch, das ihm, indem er es hörte, die eigene Sprechluft zu rauben schien. Er antwortete in abbrechenden Sätzen. Und auch nachdem sie das Hotel verlassen hatten, fehlten ihm – sie inhalierten die langsam neblig werdende Luft des Nachmittags – immerzu die rechten Worte, wogegen Frau Lauterbachs Stimme noch an Volumen und Klarheit gewann.

Mary Ann Lauterbach fand das Persönlichkeitsbild, das das Erfurt-Dossier der Berliner Zentrale enthalten hatte, im wesentlichen bestätigt. Der hübsche, gut gewachsene, allerdings untergewichtige junge Mann war in geschlechtlicher Hinsicht gehemmt und hatte große Mühe, sie beim Reden anzusehen. Also lenkte sie die Unterhaltung auf die Geschichte Erfurts, und als sie die historische Schlinge vorsichtig enger zog und ihn nach den Zünften der mittelalterlichen Stadt fragte, mündete sein Antworten in freieres Fahrwasser. Schließlich, sie bogen nach einem langen Spaziergang in die schon dämmrige Färbergasse, nahm Waldemar Umbreit sogar die Hände aus den Manteltaschen und fing an, seine Darlegungen mit erstaunlich markanten Gesten zu unterstreichen.

Das Endstück der Gasse, das im spitzen Winkel zur Wilden Gera, zum Stadtbach, hin abknickte, wurde von einer einzigen wuchtigen Straßenlampe erhellt. Der quaderförmige Leuchtkörper hing an einem über die Kurve gespannten Drahtseil und spendete ein stechendes Licht, dessen Weiß im abendlichen Nebel in ein magermilchartiges Blau hinüberspielte. Die Lampe schwankte im stärker gewordenen Ostwind, und irgendein Wackelkontakt ließ das Licht erlöschen und flattrig wieder aufflammen. So, bläulich angeleckt, bekamen die schmalen, verschieden hohen Giebel vor dem sich stumpf verfinsternden Himmel eine unreine, fast körnige Kontur, die Mary Ann an die Bildauflösung des stets zu dunkel eingestellten Schwarzweißfernsehers erinnerte, der ihre ganze Kindheit und Jugend lang im Büro ihres Vaters gelaufen war.

Knapp hundert Schritt vor ihnen erweiterte sich die Straße zu einem Trichter, den ein einziges Haus beschloß. Diese Verriegelung durch den größten mittelalterlichen Fachwerkbau Europas, wie es in Mary Anns Unterlagen hieß, mußte einstmals etwas keck Auftrumpfendes und zugleich beruhigend Massives ausgestrahlt haben. Aber das da vorne konnte allenfalls noch als eine hämische Karikatur jenes jahrhundertelang Respekt fordernden Anblicks gelten. Mary Anns Augen erfaßten eine riesige Ruine, die oberhalb der kaum Kopfhöhe erreichenden Mauerreste nur aus dem Eichenholzgerüst des Fachwerks und der Dachkonstruktion bestand. Durch dieses, trotz der Stärke der Balken, fragil wirkende Skelett drang ungedämpft das Strömgeräusch der Wilden Gera, und ein Ortsunkundiger, der des Nachts in das Endstück der Färbergasse bog, lief gewiß Gefahr, das Zischen und Rauschen des Stadtbachs in spontaner Kausalitätsgier dem vor ihm aufragenden Gerippe zuzuschreiben.

Waldemar hatte aufgehört zu erzählen. Und da vor dem Absperrgitter auch ihre Schritte verstummten, hörten sie das Quarren des Notdachs im Wind. Von Giebel zu Giebel waren Folienbahnen gespannt. Die fachgerechte Anbringung der nicht sehr dicken, aber zähen Abdeckplanen durch einen Erfurter Dachdeckerbetrieb war eine der ersten Investitionen Waldemars in das denkmalgeschützte Bauwerk gewesen. Bei Sturm konnte das Knattern der Folie sogar die Wilde Gera übertönen. Auch Mary Ann Lauterbach schwieg, und Waldemar deutete dies als ein Zeichen von Anerkennung. Das Ruinierte kennt imposante Momente, und offenbar war auch die Managerin einer transnationalen Hotelkette nicht unempfänglich dafür. Aus den Augenwinkeln beobachtete er ihr Gesicht, glaubte, ein Zittern ihrer Wangen wahrzunehmen. Bis auf fünfzehn Grad minus sollte das Thermometer in der angebrochenen Nacht fallen. Und in einem jähen Anfall von Beherztheit glückte es ihm, seine Verhandlungspartnerin auf ein Glas Glühwein in sein Stammlokal, ins Old San Francisco, einzuladen.

Im ersten Jahr seiner Präsidentschaft gewährte Dwight D. Eisenhower, 34. Präsident der Vereinigten Staaten und ehemaliger Oberkommandierender der Besatzungstruppen in Deutschland, einer besonderen Gruppe von Gefangenen, den im Krieg von Militärtribunalen verurteilten Ausländern, Amnestie. Der Häftling Gernot Lauterbach entschloß sich nach einem Gespräch mit dem Anstaltsdirektor und zwei jungen Herren, deren Namen und deren Rang in den Geheimen Diensten ihm nicht mitgeteilt worden waren, einen Antrag auf Erteilung der US-amerikanischen Staatsbürgerschaft zu stellen. Ihm war nahegelegt worden, auch einen neuen Namen anzunehmen, aber er entschied sich, nach einer schlaflosen Nacht, in der er den stockfinsteren Quader seiner Einzelzelle mit indogermanischen und hebräischen Silben gefüllt hatte, seinen Nachnamen Lauterbach, an dessen amerikanische Verballhornung er sich in zwölf Jahren Haft gewöhnt hatte, beizubehalten. Nur seinen Rufnamen Gernot krampfte er sich zum einsilbigen ‹Glen› zusammen.

Glen Lauterbach, das schien ihm gut ins Ohr zu gehen. Aber als es dann ernst geworden war, als man ihn wirklich in die Freiheit entlassen hatte, während der vierzehnstündigen Busfahrt gen Osten, nach Minneapolis, hin zu der im statistischen Jahresdurchschnitt kältesten Großstadt der USA, wo ein möbliertes Zimmer, ein Arbeitsplatz in einer Fabrik für mechanische Registrierkassen und ein Bewährungshelfer auf ihn warteten, wurde ihm doch bang. Immer aufs neue übte er murmelnd seinen Namen oder drückte zumindest die rechte Hand auf die linke Brust, vor der, in der Innentasche seines Sakkos, das Portemonnaie mit seinen neuen, den amtlich gefälschten amerikanischen Papieren steckte.

Das Old San Francisco war auf eine Weise mit Gästen gefüllt, die man ohne Ironie gemütlich nennen konnte. Und kaum waren die beiden eingetreten, wurde Waldemars Lieblingsplatz, die Nische mit der Stratocaster, von drei jungen Erfurtern geräumt. Waldemar hatte das Lokal gleich an seinem ersten Erfurter Wochenende entdeckt. Der Pächter der Kneipe sammelte elektrische Gitarren und stellte seine schönsten Stücke in den Gasträumen aus. In eigens für sie angefertigten Plexiglasschreinen hingen die Instrumente an den Wänden. Die Ecke, in der Waldemar viele Stunden, lesend und trinkend und grübelnd, gesessen hatte, wurde von einer Elektrogitarre mit rotem, vollmondrundem Korpus geschmückt. Der Wirt hatte ihm erzählt, daß es sich um den einzigen Stratocaster-Nachbau der untergegangenen DDR handle. Nach Photos habe ein Dresdner Elektriker und Amateur-Rockmusiker das Instrument aus einheimischem Material gebastelt, und es rühre bis heute an, wie nah der Klang der sehnsuchtsschwangeren Kopie an den des amerikanischen Originals heranreiche, ohne je unterschiedslos mit ihm zu verschmelzen.

Im Frühling, am Tag des katastrophalen Grundwassereinbruchs, hatte der Kneipier Waldemar sogar eine Kassette vorgespielt, auf der die Band des findigen Sachsen mit ihrem Repertoire kalifornischer Surfrocknummern zu hören war. Trost sollten ihm die Lieder spenden. Denn Waldemar hatte darüber geklagt, daß die archäologische Grabungsstelle im Innenhof des Färberhauses voll Wasser gelaufen sei. Vom städtischen Denkmalpfleger, der die Arbeiten leitete, war er aufgefordert worden, umgehend für eine Trockenlegung zu sorgen. Für alle Schäden an den Artefakten, die noch nicht aus der mittelalterlichen Abfallgrube geborgen seien, werde die Kommune Erfurt ihn als den verantwortlichen Hauseigentümer haftbar machen. Damals, als er, sächsischem Surfrock lauschend, in seiner Nische saß, war Waldemar klargeworden, daß ihn das Alte Färberhaus im Laufe eines einzigen Jahres finanziell zugrunde richten würde, daß er die Erbschaft im Osten nicht hätte annehmen dürfen.

Im Sommer waren zumindest die Ausgrabungen abgeschlossen. Man hatte den üblichen mittelalterlichen Mischmasch gefunden, mehrere Zentner Tonscherben und andere Hausratsreste, dazu zahllose Knochen von Rind, Schaf, Ziege und Schwein, ja sogar Reptilienwirbel unbekannter Herkunft, alles eingebacken in einen immer noch tiefblauen, lehmartigen Dreck, den über sechshundert Jahre alten Abfall der Färberarbeit mit Waid. Die Waidpflanze, die als gelbblühendes und muffig duftendes Unkraut weiterhin in der Umgebung von Erfurt wuchs, war für die Stadt das ganze Mittelalter hindurch Grundlage ihres Reichtums gewesen. Die Bauern der umliegenden Dörfer schnitten die harten Stengel der zweijährigen Staude mit besonderen Sensen, den Waidhauen, und ließen die Ernte, zu mannshohen Haufen geschichtet, vier Wochen lang im eigenen Saft gären. Dann erst wurden die Blätter abgerupft und zu faustgroßen Kugeln geformt. Dieses Zwischenprodukt ging auf dem Erfurter Markt in den Besitz der Waidhändler über, die die lukrative Ware bis über die Grenzen des Heiligen Römischen Reiches hinaus vertrieben. Ein kleiner Teil wurde von den städtischen Färbern aufgekauft und zum gleichnamigen blauen Farbstoff weiterverarbeitet.

Als Waldemar und Mary Ann unter dem bauchigen Brett und dem stämmigen Hals des deutschen Stratocaster-Nachbaus saßen und die Hände schon am zweiten Glas Glühwein wärmten, erzählte er ihr, daß die Waidknechte auf zeitgenössischen Abbildungen, so auch auf zwei Erfurter Altargemälden, stets mit gewaltigen Holzhumpen in den Händen zu sehen seien. Diese Krüge enthielten den Färbertrunk, ein Dünnbier mit harntreibenden Kräuterzusätzen, das den Handwerksgesellen über den Tag hinweg bereitgestellt wurde, denn die Pflanzenkugeln mußten zur weiteren Gärung einen ganzen Monat lang in der Waidmühle, einer großen Holztrommel, mit frischem Urin durchfeuchtet werden. Sobald sich an der Waidbeize, einem süßlichen Duft, der richtige Gärungsgrad erkennen ließ, wurde der Brei mit Pottasche vermengt und so lange mit bloßen Händen durchgeknetet, bis er die Konsistenz einer feinen, kaum noch fasrigen weißlichen Paste annahm. Blau wurden die damit gefärbten Stoffe erst, wenn man sie dem Sonnenlicht aussetzte.

Mary Ann fischte ihren dritten Glühwein vom gedrängt vollen Tablett der Kellnerin, und plötzlich fiel Waldemar die Uhr an ihrem Handgelenk auf. Das rechteckige Zifferblatt zeigte halb zwei. Und da es erst 22 Uhr war, vermutete Waldemar, der ungern reiste und die deutschsprachige Welt bei seinen Auslandsaufenthalten, den sieben Mallorca-Urlauben mit seinen Eltern, nicht wirklich verlassen hatte, dies sei die amerikanische Zeit und Frau Lauterbach habe versäumt, die Zeiger zurückzustellen. Aber als bald darauf der vierte Glühwein kam und sie sicherheitshalber auch ein Glas vor ihn stellte, als habe sie bemerkt, daß er dem Alkohol wenig Widerstand entgegensetzen konnte, standen die Zeiger noch immer in derselben Position. Erst jetzt registrierte er, wie locker das abgenutzte Metallgliederband aus doubliertem Stahl um ihr Handgelenk baumelte, auch vorhin schon hätte er an manchem Detail erkennen können, daß die Uhr einige Jahrzehnte hinter sich hatte, also ein Sammel- oder Erbstück war, etwas, das die Amerikanerin als Schmuck oder aus einem sentimentalen Beweggrund trug.

Mary Ann wußte nicht, daß die Uhr einmal Kapitänleutnant Spiegel gehört hatte. Zwar hatte sie als Mädchen herausgefunden, was ihr Vater in heimlicher Regelmäßigkeit mit seiner kaputten Armbanduhr trieb. Er saß an seinem Schreibtisch, hielt das Metallband in der Faust dicht vor den Mund und flüsterte auf das Zifferblattglas wie in ein empfindliches Mikrophon. An seinen Mundbewegungen erkannte sie, daß es Deutsch war, und da er, sobald er verstummte, die Uhr sofort auf das linke Ohr drückte, war ihr klar, daß es sich um ein Zwiegespräch handeln mußte.

In der Nacht auf den 11. September 1941, auf den Tag, an dem Präsident Franklin D. Roosevelt den US-Streitkräften den Befehl erteilen würde, alle gesichteten deutschen Kriegsschiffe zu beschießen, näherte sich das U-Boot von Kapitänleutnant Spiegel, unbemerkt von der amerikanischen Küstenwache, aus südlicher Richtung der San Francisco Bay. Die US-Navy wußte nicht, daß deutsche Fernunterseeboote vor der amerikanischen Westküste lagen. Die U IX, die Kapitänleutnant Spiegel befehligte, war ein sogenannter Alberich, ihren gesamten Rumpf hatte man in der Germania-Werft Kiel mit einem von den IG Farben entwickelten Spezialgummi überzogen, was ihre Ortung mit den Sonargeräten, die den Gegnern damals zur Verfügung standen, stark erschwerte. Sogar aufgetaucht profitierte das Boot von seiner besonderen Haut, denn durch die ungleichmäßige Reflexion der speckig glänzenden Kunstgummibeschichtung war die U IX Alberich im starkbewegten Wasser vor der Pazifikküste für die in dieser Aufgabe noch wenig erfahrenen amerikanischen Marineflieger nicht leicht auszumachen.

Gegen Mitternacht, als Waldemar wagte, Mary Ann nach dem Grund für ihr hervorragendes Deutsch zu fragen, und ihm zugleich, beschwingt vom Glühwein, der

längst überfällige, allerdings nun nicht mehr allzu ein-
dringliche lange Blick in ihre Augen gelang, erfuhr er, daß
sie väterlicherseits deutschstämmig sei. Ihr Dad, Glen
Lauterbach, sei als Kind deutscher Einwanderer in San
Francisco geboren, habe allerdings nur ungern über seine früh verstorbenen Eltern gesprochen. Mehr schlecht
als recht sei er in Waisenhäusern an der Westküste aufgewachsen, und er habe sich zeitlebens für einen gehalten,
der sich sein Amerika wie ein Einwanderer selbst er-
kämpft habe. Auf die Frage, ob ihr Vater noch lebe, an-
wortete Mary Ann, er verbringe seinen Lebensabend in
einem Heim für Sehbehinderte und Blinde am Rand von
Minneapolis.

Funkmaat Gernot Lauterbach war schon nach wenigen Wochen Tauchfahrt zum Vertrauten von Kapitänleutnant Spiegel geworden. Wahrscheinlich war es der
entfernt ähnliche Zungenschlag, der sie zusammen-
brachte. Beide stammten aus dem tiefsten Binnenland,
aus dem Erzgebirge und dem Thüringer Wald, während
die übrigen 45 Mann ohne Ausnahme an der Nord- oder
Ostsee aufgewachsen waren. Hinzu kam, daß Lauterbachs ungewöhnlich klangschönes, fast virtuoses Mund-
harmonikaspiel nicht nur den heimwehkranken Ge-
mütern der Mannschaft, sondern auch den von der
Verantwortung angespannten Nerven des Kommandan-
ten wohltat. Trotz seiner pausbäckigen Jugend war Kapitänleutnant Spiegel in allen technischen Belangen ein As,
und er hatte ein Gespür dafür, wie sich der atmosphäri-
sche Druck der Eingeschlechtlichkeit, der in der Raum-
zeitkonserve eines Fern-U-Boots erst auf dem Trommel-

fell und dann auf den Augäpfeln lastet, in deftigen Witzen und knappen heroischen Ansprachen wie in Schlagwettern entladen ließ. Spiegels Entscheidung, bei Einbruch der Dunkelheit Kurs auf die San Francisco Bay zu nehmen, war jedoch ohne Vorwarnung über die Mannschaft gekommen, und wie die beiden anderen Funker wußte Lauterbach, daß kein Befehl des Flottenkommandos vorlag. Später, vor dem amerikanischen Militärtribunal, hatte er, der Kronzeuge der Anklage, den Amis nur verraten können, daß sein Kapitänleutnant gesagt habe, er wolle dieses stählerne Weltwunder, die größte Hängebrücke der Welt, einmal aus der Nähe besehen.

Das Manöver verlangte ihnen navigatorisch alles ab und blieb trotz Kriechfahrt riskant. Das Wahnwitzige ihres Vorstoßes hatte Lauterbach anfangs eiskalt angerührt, aber mit jeder Viertelseemeile, die sie an der Küste hinaufschlichen, verwandelte sich seine Angst mehr in eine nervöse Neugier, die sich bis zu einer Art Goldgräberfieber steigerte. Die Stadt, die sie so mutwillig ansteuerten, schien ihm das Herz von Kalifornien, unerkannt drangen sie in dessen Kammern, und als sie kurz nach Mitternacht auftauchten, als die Elektromaschinen stoppten und Spiegel alle, ausnahmslos alle, nacheinander auf die Kommandobrücke, in die wunderbar laue, harzig duftende Luft hochschickte, damit jeder durch den Dunst über dem Wasser die Lichterketten, die honiggelb leuchtenden Natriumdampflampen der Golden Gate Bridge sehen konnte, waren die Männer trunken vor Glück.

Anderthalb Stunden nach Mitternacht trat Mary Ann in Waldemars Schlafzimmer. Beim ersten Rundumblick bemerkte sie das alte Emailwaschbecken und zweifelte, ob es richtig gewesen war, den jungen Mann nach Hause zu begleiten. Seine kleine Wohnung, von der ihr bereits Flur, Küche und Bad vor Augen gekommen waren, hatte sich zunächst nur unwesentlich von den mehr oder minder verwahrlosten Junggesellenbehausungen unterschieden, die sie in den Staaten besichtigt hatte. Aber nun war da, vis-à-vis von Waldemars Bett, ein altes, schwarz emailliertes Handwaschbecken, das vor hundert, vielleicht auch noch vor fünfzig Jahren an der Wand dieses Zimmers einem Zweck gedient haben mochte. Hier, in ihrer ersten deutschen Nacht, stand das ramponierte Teil mitten auf einer weißlackierten Kommode. Sein rostiger Abflußstutzen steckte in einem Gießharzwürfel, der wohl den Standfuß abgab. Rechts und links waren auf Tellerchen je zwei rote Kerzen geklebt. Wenn sie brannten, würden sich ihre Flämmchen in den vier Rasierspiegeln, die ganz außen, auf den Ecken der Kommode, plaziert waren, vervielfältigen.

Kapitänleutnant Spiegel hatte die Mannschaft zusammengerufen und ihnen mitgeteilt, daß sie den amerikanischen Protzbau, daß sie die gewaltige Brücke mit ihren Torpedos angreifen würden. Er forderte alle, unabhängig von ihrem Dienstgrad, auf, Kenntnisse und Ideen, die zum Gelingen der Attacke beitragen könnten, zu äußern. Zumindest ein Pylon, einer der beiden stählernen Wasserpfeiler, müsse zum Einsturz gebracht werden, und wie man dergleichen mit ihren Waffen bewerkstellige, habe er weder auf der U-Boot-Schule noch an der Torpedo-Versuchsanstalt gelernt.

Zum erstenmal betrat Waldemar sein Erfurter Schlafzimmer gemeinsam mit einer Frau, und trotz der anhaltend wohligen Wirkung des Glühweins erschrak er spitz und kalt, als er begriff, wie das Becken, der Palast der goldenen Würmchen, auf einen anderen Menschen wirken mußte. Mary Ann, die der Kommode bereits den Rücken gekehrt hatte, ahnte, warum Waldemar ans Nachttischlämpchen stürzte, es anknipste und gleichzeitig mit der linken Hand an den Türpfosten hinüberfingerte, um die Deckenleuchte auszuschalten. Sie wandte sich zum Stuhl neben dem Bett, um, wie immer vor dem ersten Kleidungsstück, die Uhr ihres Vaters abzulegen.

Dem Häftling Lauterbach war nicht gesagt worden, wieviel seine Kameraden den Amerikanern verraten hatten. Sogar vor das Tribunal hatte man sie getrennt geführt. Erst nach zwei Jahren Haft wurde ihm mitgeteilt, was ihm längst alpträumte: Er war der einzige, dessen Todesstrafe man nicht vollstreckt hatte. Von den acht Alberich-Männern, die die Havarie vor San Francisco überlebt hatten, war allein er nicht in seinem leibeigenen Fett und Wasser auf dem elektrischen Stuhl zu Tode gekocht worden. Die Uhr, die Gernot Lauterbach bis ans Ende seiner Gefängnisjahre nur vor dem Duschen ablegte, war ihm von seinem Kapitän geschenkt worden, kurz nachdem der im Morgengrauen, unter sichtlich großen Schmerzen noch einmal Salzwasser erbrechend, endlich aus seiner Bewußtlosigkeit erwacht war. Spiegel hatte sofort begriffen, daß Lauterbach, der beste Schwimmer der Mannschaft, ihn ans amerikanische Ufer gebracht haben mußte, und ihm deshalb, aber auch um vor dem Rest der Mannschaft ein kameradschaftliches Zeichen zu setzen, seine Armbanduhr überreicht.

Vor der Kommode riß sich Waldemar die Kleider vom Leib, um Sakko, Hemd und Hose möglichst schnell über das Waschbecken, über die Heimstatt der goldenen Würmchen, zu werfen. Aber kaum stand er nackt da, schämte er sich sehr, daß er seine kleinen Ratgeber, daß er die einzigen Freunde, die er im Osten gefunden hatte, vor Mary Ann verleugnete. Zudem wurde ihm bewußt, wie eisig kalt es in seinem unbeheizbaren Schlafzimmer war. Und wie um beides, wenn schon nicht gut, so doch weniger schlimm zu machen, nahm er das Feuerzeug von der Kommode und zündete die Kerzen an.

Obwohl Kapitänleutnant Spiegel nur mühsam sprechen konnte, weil er noch Wasser in der Lunge hatte, erklärte er seinen übriggebliebenen Männern, der Verlust des Bootes und der Tod ihrer Kameraden ändere nichts an ihrer Pflicht gegenüber Führer und Vaterland. Das Schicksal habe gewollt, daß ihnen der Torpedo im Rohr krepiert sei und daß ihre kleine Schar den Krieg zu Lande fortsetze. Und während Spiegel noch hustend das Sichfügen in die Vorsehung, die Treue zum Führer und den Erfolg ihres zukünftigen Partisanenkampfes in den kalifornischen Wäldern beschwor, hatte sich Funkmaat Lauterbach, der so schön Mundharmonika spielte und auch einigermaßen gut Englisch sprach, schon in das nach Wacholder duftende Gebüsch des Ufers verdrückt und damit begonnen, so leise, wie es ging, die Böschung zur Straße hinaufzuklettern.

Glen Lauterbach war stolz, daß seine Tochter sein hervorragendes Gehör geerbt hatte. Anfang des Jahres, als ihm das Laufen zusehends mehr Schwierigkeiten bereitete, war Mary Ann meist abends direkt von ihrem Büro in Central Minneapolis zu ihm ins Heim hinausgefahren. Sie hatte ihm das Keyboard über die Bettdecke gelegt und seinen Kopfhörer eingeklinkt. So blieben die anderen Alten zu später Stunde ungestört, und Mary Anns exzellenten Ohren genügte, was durch die Schaumstoffdämpfung der Kopfhörermuscheln nach außen drang. Im Herbst hatte sie ihm, weil sie beruflich viel auf Reisen war, noch ein Handy besorgt, an das sich seine elektronische Orgel anschließen ließ, und so konnte er ihr untertags ins Office oder nachts an irgendein Hotelbett das eine oder andere seiner Lieblingslieder, es waren Folksongs aus aller Welt, zuspielen.

Als Mary Ann sich Waldemars klamme und ein wenig säuerlich riechende Bettdecke bis ans Kinn zog, hörte sie ein merkwürdiges Geräusch. Waldemar, splitternackt und unübersehbar frierend, grub schon ein Weilchen in einer Schublade, durchwühlte seine Unterwäsche auf der Suche nach einem Päckchen Verhütungsgummis, das er glaubte, vor ein paar Monaten erst dort gesehen zu haben. Mary Ann, die erriet, wonach er suchte, wollte ihm zurufen, daß dies nicht nötig sei. Aber schon wurde sie wieder von diesem seltsamen Scharren, das ihr jetzt eindeutig aus dem alten Waschbecken zu kommen schien, abgelenkt. Es war ein feines, trockenes Schaben, als riebe etwas Lebendiges mit harter Haut über den Rost und über die Splitterkanten des Emails.

Die deutsche historische Zoologie, die begnadete Tüftler in ihren akademischen Reihen hat, Männer, denen es weder an sturer Geduld gegenüber dem überlieferten Material noch an skrupulöser Subtilität bei dessen Deutung fehlt, hat beeindruckende Einzelstudien vorgelegt, die immerhin eingrenzen, um welche Spezies es sich bei den Waidschlangen handeln könnte. Die zeitgenössischen Bildquellen zeigen die Tiere in der Regel um das Werkzeug, zuweilen auch um die Schuhe der Färber geringelt. Wie auf den Tierdarstellungen des deutschen Mittelalters üblich, ist die Bandbreite der zoologisch relevanten Merkmale groß, manchmal sind es blinde stumpfköpfige Würmchen, manchmal stummelbeinige Eidechsen, die aus grinsenden Mäulchen züngeln. Die Farbe der teils glatten, teils grob oder fein geschuppten Körper schwankt zwischen einem rötlichen Ocker und einem nahezu weißen Hellgelb.

Auf einem winzigen Rest Fresko, der unlängst in der Ruine des Alten Färberhauses zu Erfurt ans Licht kam, ist der Leib der Waidschlange sogar mit Blattgold ausgelegt. Ein bemerkenswerter Fund, der einen interpretatorischen Brückenschlag zur einzigen Textquelle ermöglicht, die auf die Waidschlangen Bezug nimmt: In einem frühneuzeitlichen Brief, dem lateinischen Schreiben eines Erfurter Humanisten an keinen Geringeren als den Reformator Martin Luther, ist von allerlei papistischem Aberglauben die Rede, wie er sich in der Landbevölkerung um Erfurt erhalten habe. Unter anderem werde beim Einbringen der Waidernte ein Lied gesungen, das von den kleinen goldenen Schlangen der Jungfrau Maria erzähle.

Als Waldemar endlich, durchgefroren, innerlich entmutigt und auch äußerlich sichtbar mutlos, zu Mary Ann ins Bett stieg, piepste es, wie um ihn zu verspotten, aus ihrem Kleiderhaufen. In einem logischen Kurzschluß dachte Waldemar, es müsse die alte Uhr der Amerikanerin sein, die sich nun doch als modern zu erkennen gebe und auf irgendeinen programmierten Zeitpunkt hinweise. Aber dann schlängelte sich Mary Anns Arm tief unter ihre Wäsche und unter ihre Oberbekleidung und zog ein Handy hervor. Sie legte das Gerät übervorsichtig, als wäre es zerbrechlich, zwischen sie beide auf das Kopfkissen und stellte die Verbindung her. Waldemar hörte Musik, den warmen, hammondartigen Klang einer elektronischen Orgel, die schleppend, mit rhythmischer Raffinesse und schlauer Sentimentalität, ein volksliedhaftes Stück intonierte. Die Melodie kam Waldemar bekannt vor, und schon wollte er, glücklich über die unverhoffte Ablenkung, seine aus Übersee angereiste Verhandlungspartnerin, die mutmaßliche Aufkäuferin seiner Erbschaft, fragen, wie das Stück denn heiße, da legte sie ihm den langen weißlackierten Nagel ihres Zeigefingers auf die Lippen und zischelte ihm ins Ohr: Hush, Waldemar! Hush! It's an old German song. It's called ERZGEBIRGLERS HEIMATLIED!

Unsere lieben Toten

Ein spiritistischer Versuch

Stellen Sie sich vor, Sie sind tot. Ihr Herz schlägt nicht mehr, und Ihre Lungen haben aufgehört zu atmen. Hier, im Krankenhaus, wo Ihrem Sterben beigestanden wurde, verzichtet man auf Wiederbelebungsversuche. Allein der Blick der Weiterexistierenden berührt Ihren Körper. Keiner der Anwesenden scheint zu spüren, daß Sie diesen Blick erwidern können. Noch schauen Sie aus Ihren leibeigenen Augen, die man bereits, mit einem gewissen Recht, gebrochen nennen kann, auf das Klinikpersonal und auf Ihre Hinterbliebenen. Gleich werden Ihnen die Lider zugedrückt, aus Pietät – weil wir seit jeher schauderhafte Angst davor haben, daß uns die Toten fixieren.

Stellen Sie sich vor, Sie sind tot. Jetzt sehen Sie Ihre Leiche und daß man Ihnen ein Laken über das Gesicht zieht. Es wundert Sie, dies beobachten zu können. Sie hatten befürchtet oder gehofft, daß mit dem Sterben alles, auch die Arbeit des Sehens, getan wäre. Nun jedoch scheint Ihr Blick übriggeblieben zu sein, und selbst das Denken ist nicht erloschen, auch wenn sich Ihre Totengedanken auf eine schwer bestimmbare Weise anders anfühlen.

Man rollt Ihr Krankenbett aus dem Sterbezimmer, und es interessiert Sie nicht, wie weiter mit Ihrem erkaltenden Fleisch verfahren wird. Denn inzwischen haben Sie und Ihr Totenblick bemerkt, daß Sie über eine angemessene Hülle verfügen. Ihr Totenkörper ist Ihnen sogleich vertraut. Nicht weil Ihnen wohl in seiner Haut wäre, Sie spüren ihn nicht. Aber Sie schauen an sich hinunter, und Ihre neue, Ihre letzte Erscheinung kommt Ihnen durchaus bekannt vor.

In älteren Hollywood-Filmen, in Schwarzweißproduktionen aus den vierziger Jahren des vorigen Jahrhunderts, wurden die Toten so dargestellt, wie Sie jetzt aussehen: fast wie im Leben, die normale Statur, komplett bekleidet, allerdings farblos, in fein abgestuften Grautönen schimmernd, als wäre Ihre Totengestalt durch einen weichzeichnenden Filter gelaufen. Und so gilt Ihr erstes Staunen im anderen Zustand der Erkenntnis, wie gut die amerikanische Unterhaltungsindustrie damals, mitten im Zweiten Weltkrieg, die Wirklichkeit der Toten getroffen hat.

Sie verlassen das Krankenhaus. Draußen, auf der Straße, herrscht ein mächtiger Verkehr. Sie sind im November gestorben, doch Ihnen ist nicht kalt, obwohl Sie keinen Mantel anhaben, und nicht eine der großen Schneeflocken, die Ihnen der Wind entgegentreibt, bringt Sie zum Blinzeln. Nun müssen Sie den massiven Körpern, die Ihnen entgegenkommen, nicht mehr ausweichen, und Ihre Füße, die fast so ausschreiten, wie Sie es gewohnt waren, bringen den Matsch nicht zum Spritzen.

Zunächst irritiert Sie, daß die Welt sehr leise geworden ist. Zur Hauptverkehrszeit lärmen die Straßen, aber alles, was Ihre Heimatstadt weiterhin an Geräuschen hervorbringt, erreicht Sie gedämpft und merkwürdig ausgedünnt. Sie fühlen sich an frühe Tonaufnahmen erinnert, an den Schall, den man bis heute dem Schellack der ersten Grammophonplatten entlockt: Stimmgewaltige Tenöre wispern im historischen Falsett, und das Orchester der Mailänder Skala knistert wie Silberpapier. Das also, denken Sie sich, ist die Tonspur des Totseins.

Erst viel später, erst nachdem Sie zahllosen Lebenden in die von der winterlichen Kälte geröteten Gesichter gesehen haben, entdecken Sie Ihre wahren Zeitgenossen: die anderen Toten. Es wäre wahrlich mit dem Teufel zugegangen, hätten Sie das Sterben als einziger in dieser Gestalt überstanden. Auch jetzt sind Sie nicht allein. Und obwohl es Ihnen ein leichtes Mißbehagen bereitet, beginnen Sie nach Ihren Totengenossen Ausschau zu halten.

Zum Glück ist es nicht so, daß die Zahl der Toten, wie Sie früher geglaubt haben, unermeßlich groß wäre. Nein, es scheinen deutlich weniger tote Körper als lebendige Leiber unterwegs zu sein. Noch immer kämpft Ihr Blick damit, sich nicht von der bunten Überzahl der Lebenden blenden zu lassen. Selbst jetzt, wo Sie sich Mühe geben, keinen Ihresgleichen zu verpassen, kommt Ihnen auf eine Hundertschaft Lebendiger höchstens ein einziger Toter entgegen. Noch können Sie sich auf das Mißverhältnis keinen Reim machen.

Sie betreten ein Kaufhaus. Und Sie ahnen, daß dies einen Grund hat. Es ist, als ob etwas an Ihren Augen saugte. Ihre Augäpfel sind, das haben Sie inzwischen begrif-

fen, der einzige Teil Ihres Totenkörpers, der im altleben-
digen Sinne zu spüren vermag. An den Augen zieht es Sie
in die Abteilung für Unterhaltungselektronik. Dort wirkt
alles noch genau wie zu der Zeit, als Sie die einschlägigen
Geräte, Ton- und Bildträger selbst erworben haben. Aber
dann entdecken Sie die laufenden Fernseher!

Ein Dutzend großer Fernsehapparate ist zu einer kleinen Schauwand aufeinandergestapelt. Vier Geräte breit
und drei Geräte hoch. Um den Schreck, die erste tiefe
Empfindung Ihres Totseins, eine Sekunde abzuwehren,
wetten Sie mit sich, daß dort ein Musikvideo abgespielt
wird. Und könnte einer der Lebenden, die im Vorübergehen flüchtige Blicke auf die Bildschirme werfen, die
Rolle des Schiedsrichters übernehmen, er gäbe Ihnen
recht. Denn Sie hören die amerikanische Sängerin Ma-
donna. Matt wie durch Watte dringt Madonnas Stimme
von den Fernsehern zu Ihnen her, aber Ihre Totenaugen
können das dazugehörige Bild nicht erkennen. Die Farben des Fernsehers scheinen allein den Lebendigen vorbehalten, für Sie quillt nur etwas Weißes, eine Art medialer Milch, aus dem Glas der Geräte.

Plötzlich sind Sie froh, einen anderen Toten in Sichtweite zu haben. Er steht am Rand der milchspeienden
Apparate und schaut Sie unverwandt an. Er ist schwarzweiß wie Sie, doch seine Kontur scheint schärfer als die
der meisten Totenkörper, die Ihnen bisher vor Augen gekommen sind. Dieser deutlich umrissene tote Mann bewegt seine Lippen, und Sie treten nahe zu ihm an die
Fernseher, weil Sie wissen wollen, was er Ihnen zu sagen
hat. Es dauert, bis Sie seine Mundbewegungen mit Wör-

tern synchronisieren können. Das Hören fällt Ihnen weiterhin schwer. Aber schließlich gelingt es Ihnen, zu verstehen, was dieser junge, schöne, sogar noch in seinem Totsein muskulös wirkende Mann über die Lippen bringt.

«Kannst du mich hören?» fragt Sie der Tote, und in diesem Augenblick erkennen Sie ihn. So, wie er vor Ihnen steht, war er erst vor einem guten Jahr, anläßlich seines Ablebens, in allen Zeitungen abgebildet. Es handelt sich um keinen Geringeren als den ehemaligen Boxer Gustav ‹Bubi› Scholz. Als alter Mann ist er gestorben, aber jung und schön und schwarzgrauweiß wie in seinen besten Kampfjahren dürfen Sie ihn jetzt, als Toter unter Toten, kennenlernen.

«Du siehst noch gut aus!» sagt Bubi Scholz, der einen dunklen Anzug und einen schmalen Schlips trägt und das dichte Haar glatt nach hinten gekämmt hat. «Du bist noch frischer als ich, und du hast Glück gehabt mit deinen Klamotten. Hast du gesehen, in was für traurigen Kostümen manche tot sein müssen? Ich bin froh, daß ich nicht in Shorts und Boxerstiefeln dastehen muß. Bei uns kannst du Nobelpreisträger in Hosenträgern und Hauslatschen herumschlurfen sehen. Weiß Gott, wer dafür verantwortlich ist. Komm, schauen wir, daß wir hier wegkommen! Es ist fast Mittag. Gleich kreuzt Gertraud auf und dreht an den Radios. Dann ist wirklich die Hölle los!»

Nun sind Sie also tot. Das ist nicht unbedingt ein Vergnügen. Allerdings haben Sie so den berühmten Boxer

Bubi Scholz kennengelernt, der zwar auch tot, aber ein feiner Kerl ist. Obwohl es mit dem Hören nicht besser wird und Sie auch keine rechte Lust verspüren, den Lärm der verlorenen Welt in Ihrem Totenschädel hallen zu lassen, auf Bubis Worte achten Sie gerne. Und wenn Sie ihm auf den Mund sehen, verstehen Sie fast alles.

«Ganz früher», sagt Bubi Scholz, «sollen die Toten besser gehört haben. Erst wir, die neueren Toten, sind mit Worten, mit Sprache und Klang, so schlecht zu erreichen. Gertraud weiß das, und sie weiß auch, wie man unsereins am besten bei den Ohren packt. Gertraud, die Grausame, ist pensionierte Gymnasiallehrerin, Deutsch, Geographie und Geschichte, aber schon als Studentin war sie eine begnadete Spiritistin. Damals, nach dem letzten großen Krieg, hat sie bei einem aus dem Exil zurückgekehrten Meister an den guten alten Röhrenradios gelernt, wie man die Verstorbenen über Langwelle anpeilt!»

Vielleicht bedauern Sie jetzt, daß Sie den Spiritismus zu Lebzeiten für Aberglaube oder Unfug gehalten haben. Denn Ihr erster Bekannter im Reich der Toten, der Boxer Bubi Scholz, versichert Ihnen, daß es erfahrenen Radio-Spiritisten tatsächlich gelinge, die Stimmen Verstorbener einzufangen. Und vor kurzem habe jene Gertraud, vor der sie aus dem Kaufhaus geflohen seien, dort einen neuen japanischen Weltempfänger entdeckt, dessen Langwellenmodul in Sachen Totenpeilung alles schlage, was bisher auf dem Markt gewesen sei.

«Ein Segen», sagt Bubi Scholz, «daß Gertraud zu sparsam ist, um sich das Ding zu kaufen, aber von Montag bis Samstag kommt sie fast jeden Mittag zu Karstadt und kurbelt im kritischen Frequenzbereich. Sie sucht nach der Stimme ihres jüngeren Bruders, der als Dreijähriger, auf einem Flüchtlingstreck aus Ostpreußen, vor ihren Augen unter einem russischen Panzer verschwunden ist. Und ihre Sehnsucht hat in all den Jahren nicht abgenommen. Aber alle Langverstorbenen, auch unsere Kriegstoten, sind kaum mehr als ein Rauschen. Gertraud ist ein großes Medium. In der radiophonen Mnemotechnik macht ihr keiner etwas vor. Sie und der neue Sony saugen nach dem Brüderchen, was das Zeug hält, und wenn du als junger Toter zufällig in der Nähe bist, dann gnade dir Gott.»

So erfahren Sie von Bubi Scholz, daß auch die Toten Schmerz empfinden können. Er warnt Sie nicht grundsätzlich vor dem Rundfunk. Der sei nur gefährlich, wenn alte Damen mit historisch-spiritistischen Spezialkenntnissen auf der Langwelle ritten. Ähnlich verhalte es sich mit den Telefonen. Falls ein trauernder Hinterbliebener, verzweifelt und stark betrunken, Ihre noch nicht neu vergebene Nummer anwähle, um hartnäckig in den Hörer zu lallen, obwohl ihm nur ein Tuten antworte, dann, ja dann müßten Sie als Toter mit heftigen Spasmen rechnen, vergleichbar in etwa einer Mittelohrentzündung, sofern sich das überhaupt vergleichen lasse.

«Keine Angst!» tröstet Sie Bubi Scholz. «Der normale Energiezustrom vollzieht sich in feinsten Tröpfchen, in Mnemotonen, das tut weder weh noch gut. Du spürst einfach nichts. Du kannst nicht einmal sehen, wie die Mnemotonen dich aufladen. Aber wenn ihr Fluß deutlich nachläßt, wenn man kaum mehr an dich denkt, wirst du etwas bemerken. An den Händen fängt es an.»

Jetzt ist Ihnen doch peinlich, daß Sie keine Ahnung haben, was Mnemotonen sind. Wahrscheinlich hätten Sie das schon zu Lebzeiten wissen müssen. Nun ist Ihnen ausgerechnet ein Boxer in Sachen Allgemeinbildung voraus. Aber warum sollten Sie nicht auch als Toter noch etwas hinzulernen? Sie geben sich einen Ruck, Sie spannen Ihre toten Augäpfel an. Sie wollen verstehen, was zwischen Ihresgleichen und den Lebendigen gespielt wird.

Unterwegs mit Bubi Scholz haben Sie schon dies und das beobachtet. Die Toten auf den Straßen tragen fast ausnahmslos moderne Winter- oder Sommerkleidung. Nur ein einziges Mal ist Ihnen ein junges Mädchen aufgefallen, deren Rock und Schuhe, deren Frisur, deren Pferdeschwanz Sie weit, ungefähr fünf Jahrzehnte, zurückdatieren würden. Aber deshalb können Sie noch nicht sicher sein, mit ihr eine ältere Tote gesehen zu haben. Genau diese Mode hat schon mehrere Wiedergeburten erlebt. Vielleicht partizipierte das Mädchen an der letzten Neubelebung des Stils und ist kaum weniger frisch verstorben als Sie selbst.

«Viele», sagt Bubi Scholz, «viele von uns grämen sich, daß sie sich das mit dem Totsein vorher nicht gründlicher überlegt haben. Ich hatte, als mit dem Boxen Schluß war, jede Menge Zeit zum Grübeln und zum Trinken. Manchmal bin ich nachts vor dem rauschenden Fernseher aufgewacht und hatte von meinem verstorbenen Vater geträumt. Immer hatte er mich aus dem Fernseher heraus angesprochen. Aber ich habe das damals auf den Cognac geschoben. So ignorant kann man sein, solange man lebendig ist.»

Bubi Scholz hat Humor, und Humor haben Sie schon zu Lebzeiten geschätzt. Die Aussegnungshalle des Friedhofs, zu der er Sie führt, weil er Ihnen etwas zeigen möchte, nennt er, mit einer Ironie, deren Feinheiten Ihnen noch dunkel sind, «unsere Wärmestube». Als Sie die Andachtsstätte betreten, empfängt Sie das Wummern eines Harmoniums, und Sie erschrecken, wie viele Tote sich den Raum mit den wenigen lebendigen Gästen der Trauerfeier teilen.

«Sieh sie dir an! Schau dir unsere Schwindsüchtigen an!» flüstert Bubi Scholz Ihnen zu, und Sie wissen sofort, wen er meint. Ganz vorn bei der kleinen Gemeinde der Hinterbliebenen stehen die Toten so dicht, daß sich ihre blassen Körper eigentümlich überlagern. Bei manchen scheint die Durchsichtigkeit bis an die Grenze des Verschwindens getrieben. Und gerade die, die kaum mehr zu erkennen sind, reiben sich besonders heftig die transparenten Hände, als könnten sie so, wie zu Lebzeiten, Wärme erzeugen.

«Leider nichts los!» lesen Sie von Bubi Scholz' Lippen. «Leider Mnemo-null. Aber manchmal kannst du hier wirklich Glück haben: Dann siehst du die Mnemotonen zusammen mit den Tränen aus den Augen der Trauernden fließen. Das wärmt dann schon ein wenig. Komm mit, schauen wir mal, was die Sargträger treiben!» Und Ihr Boxer führt Sie zwei Ecken weiter, in den Aufenthaltsraum der Friedhofarbeiter. Dort leuchtet ein kleiner Fernseher vom obersten Brett eines Regals. Bubi Scholz lehnt sich an die unteren Bretter, und Sie sehen, wie die elektronische Milch, von der die Mattscheibe blindgeschwemmt wird, über den Rand des Bildschirms strömt, den Nacken des toten Boxers erreicht und seine Schultern seltsam versilbert.

Keiner der anwesenden Friedhofsarbeiter sieht fern. Alle vier haben die wuchtigen Köpfe über die aktuelle Ausgabe von Deutschlands auflagenstärkster Tageszeitung geneigt. «Wenn du Riesenglück hast», hören Sie Bubi Scholz sagen, «dann bist du da drin!» Aber Sie sind sich ziemlich sicher, daß dieses Blatt Ihrer nicht gedenken wird. Beiläufig, weil Sie, tot, wie Sie sind, nichts Besseres zu tun haben, lauschen Sie dem Ton des Fernsehers – und so kommt es, daß Sie zum zweiten Mal in Ihrem zweiten Leben erschrecken.

So groß ist Ihr Schreck, daß Sie vor Bubi Scholz und dem Fernseher davonrennen. Wie ein Verdurstender flüchten Sie hin zu den zwei, drei Lebenden, die Ihnen hinterblieben sind, in der Hoffnung, dort Mnemotonen zu trinken. Denn Sie haben hören müssen, daß im Fernsehapparat der Sargträger ein Sportkanal eingestellt ist, der zu dieser Stunde einen alten Boxkampf nach dem anderen zeigt.

Stell Dir vor, Du bist tot. Jetzt, wo Du mir, diese Seiten lesend, so weit gefolgt bist, scheint es mir erlaubt, Dich, wie Bubi Scholz es bereits getan hat, wenige Absätze lang zu duzen. Du und ich, wir dürfen vermuten, daß wir auch als Tote nicht ewig leben werden. In allen Aussegnungshallen der nördlichen Hemisphäre scheint es ähnlich schlecht um den Mnemotonen-Strom bestellt. Der dünne Fluß des privaten Gedenkens versickert ganz nahe, sozusagen in Sichtweite der Quelle. Aber daraus wollen wir unserer kühlen Kultur keinen weiteren kalten Vorwurf machen. Der Stoff, aus dem die Erinnerung an die Toten gefertigt wird, gehört wahrscheinlich seit jeher und in aller Herren Länder zu den chronisch knappen Ressourcen.

Was von der elektronischen Milch des Fernsehens zu halten ist, haben wir an unserem Gustav ‹Bubi› Scholz mit anschauen müssen: Buddhistisch geduldig und zugleich so blitzhell konzentriert, wie es allein ein großer Konterboxer sein kann, verharrte er unter dem Apparat. Aber es liefen bereits die Kämpfe der Jahrzehnte, in denen er nur noch ein trunksüchtiger Privatier gewesen war. Bubis Totenhände lagen auf seinen Schenkeln, und seine Finger, denen man das einstige Handwerk ansah, begannen an den Spitzen durchsichtig zu werden.

Loben sollten wir jedoch Gertraud, die Radio-Spiritistin! Der Leib einer Frau, auch der einer kinderlosen, pensionierten Gymnasiallehrerin, gilt zu Recht als die älteste Sphäre der Vermittlung ins Reich der Toten. Das Gedenken der alten Dame hat uns Eindruck gemacht, fast macht es uns Mut. Ausgerechnet bei Karstadt bringt sie ihren allerliebsten Toten, das verschollene ostpreußische Brüderchen, und die neuste schlitzäugige Technik in ihrem spiritistischen Augenblick auf einen Nenner. Das sollen ihr unsere Grab- und Gedenktagsredner erst einmal nachtun.

Als ehemalige Geschichtslehrerin, nach vierzig Jahren Schuldienst, hat sie verstanden, daß man sich seine Toten nicht ausleihen kann – den einzelnen nicht und keine Millionen. So groß und bedeutsam ist kein Massaker, daß zwischen dem Vorstellungsvermögen der lebenden Hirne und der Historie ein Austausch zustande käme, der den Toten Gerechtigkeit widerfahren ließe. Wenn es für uns, die zukünftigen Toten, noch ein kurzes Glück im Jenseits gibt, so ist es in dem, was man in den letzten beiden Jahrhunderten Geschichte und in den letzten Jahrzehnten gar Bewältigung der Vergangenheit genannt hat, also in den wohltemperierten Andachtshallen der Historie, gewiß nicht zu finden.

Du und ich, wir haben, mit oder ohne Geschichtsreligion, noch Zeit, bis der große Treck über uns hinweggeht. Wenn es sich fügt, denkt eine Handvoll der Weiterziehenden nicht ungern an uns zurück. Dann dauert es ein Weilchen, bis wir in ihrem Gedächtnis, ähnlich den Gestalten auf alternden Videobändern, zu flimmrigen Schemen und schließlich zu Flockenwirbeln im magnetischen Schneesturm des Vergessens werden. Wenn es ein Erbarmen der Medien gibt, dann liegt es in der Vergänglichkeit ihrer Datenträger. Und falls wirklich irgendein medialer Teufel erreicht hat, daß unser Abbild auf dem zähen Zelluloid oder in den Siliciumkristallen der Rechner gespeichert ist, dürfen wir auf ein gnädiges Großfeuer, einen trefflichen Blitz oder ein Erdbeben hoffen. Auf die Katastrophen der Natur kann sich auch die Zukunft verlassen. Notfalls mag ein Kometeneinschlag verhindern, daß irgendein Erinnerungsjunkie oder Gedächtniskrämer sich seine Animationen aus unseren Bildern bastelt.

Nichts ist zu ewigem Gedenken verflucht. Und was den mäßigen Mnemotonenfluß unserer gegenwärtigen Zivilisation angeht, sollte es Ihnen und mir – im Ernst! – ein gewisser Trost sein, daß wir uns in der kurzen Spanne, in der noch die Milch fremden Memorierens zu uns strömt, als Tote wiedersehen könnten.

Spree Novelle

Ich weiß, warum Strohmann die Männer nötigt, wenig zu essen. Und auch die Kerle könnten herausbekommen, warum sie jetzt, am Ende ihres ersten gemeinsamen Sommers, fasten sollen. Aber brav, ohne nach einem Grund zu grübeln oder zu fragen, gehorcht die ganze Truppe. Bis nach Mitternacht sah ich sie gestern um das Feuer hocken, das Strohmann schürte, hörte sie das Diätbier schlürfen, das er gut gekühlt bereithielt. Strohmann sorgte dafür, daß keine Rechte leer blieb, und wußte sogar, wem er das wäßrige Gesöff in die Linke drücken mußte. Auf seinen Trinkspruch hin hoben alle die schwarzen Flaschenhälse vor das anthrazitfarbene Firmament der Hauptstadt – so hoch und so lang, als gelte es, auch noch den Durst des Vollmonds kalorienarm zu stillen.

Heute morgen drückten sie dann die männlich schwachen Blasen. Als das Ostlicht am anderen Ufer über die Dachkanten des Kanzleramts geflossen kam, den Fluß überflutete und in die vorhanglosen Fenster ihrer Wagenburg strömte, schlich der erste zum WC-Container. Dort jedoch stand schon, hager und bleich, Strohmann auf dem Posten. Mit Eva-Maria, der schwarzweiß gefleckten deutschen Dogge, wartete er neben dem Treppchen, das zur Tür des Toilettenwagens hinaufführt. Starken Kaffee, mit magerer Kondensmilch blondiert, hatte er aus einer Thermoskanne anzubieten. Und damit gleich der erste Eindruck des Tages von aller Freßgier abschrecken möge, malmten die Kiefer seiner ungeheuren Hündin um einen blutigen Knochen.

Mich bekümmert das Vergangene nicht. Aber ich sehe noch, wie die Männer im Frühling, ehe Strohmanns Regiment begann, morgens zu mir ans Ufer kamen. Breitbeinig standen sie damals auf dem taufeuchten Beton der Böschung, die meisten neigten sich nach hinten ins Hohlkreuz, manche wiegten sich in den Hüften, alle pißten in flachem Bogen hinaus auf mein Wasser. Ich weiß, wie ungern die Männer bis heute darauf verzichten. Denn seit es endlich dauerhaft warm, ja heiß ist in diesem einzigartigen Sommer, scheint auch die Spree schöner denn je. Dies ist ihr Wendejahr. Geduldig blieb sie Kanal, bis sich ihr Kanalsein an sich selbst erschöpfte. Auf eine lässige Weise ist sie nun erneut Fluß und gleichzeitig meine Heimstatt geworden.

Bevor sie in Strohmanns Dienste gerieten, waren die Männer friedliche Trinker. So verworren dem Alkohol verfallen, daß die Grünen Schwestern zweimal am Tag mit ihrer fahrbaren Suppenküche hier haltmachten, um den wüsten Haufen mit dem Nötigsten, mit einem nahrhaften Eintopf, mit Graubrot und mit dem Wort Gottes, zu versorgen. Im Frühling paßte das alles zusammen. Auf eine arglose Art waren die Kerle verrückt nach den frommen Frauen in den kurzärmeligen, aber wadenlangen grünen Kostümen. Juchzend erhob man sich von den Luftmatratzen, wenn der Kleintransporter der Schwestern in die Wagenburg einfuhr, und wie Lausbuben hopsten sie herum, während die Aluminium-Eßgeschirre ausgegeben wurden.

Mit schlüpfrigen Sprüchen, gelegentlich auch mit tolpatschigen Berührungen versuchten sie ihre Wohltäterinnen in Verlegenheit zu bringen. Doch nur selten schenkte ihnen eine, meist die Jüngste, die Sommersprossige, den Anflug eines Errötens. Weit eher stieg den Männern selbst das Blut ins Gesicht. Denn ehe es daranging, sich den Eintopf einzuverleiben, hieß es, Gott zu danken. Alle faßten sich an den Händen und sangen Lieder, in denen der Herr gebeten wurde, den Menschen in ihrer Schwäche beizustehen.

Diese Abstinenzlergesänge waren jenseits des großen Teiches aus einem biblischen Amerikanisch in ein kurioses Deutsch übertragen worden. Mancher Vers schrie schier nach Korrektur. Aber wehe dem, der sich im Text vertat! Die Schwestern bestanden auf dem gedruckten Wortlaut. Wer von ihm abwich, mußte die verhunzte Strophe, mit hochrotem Kopf und zitternder Stimme, allein noch einmal singen. Aus Kanada waren die strengen Grünen Schwestern nach Berlin gekommen. In ihrer Heimat hätten sie, so erzählen es sich die Männer, sämtliche Alkoholiker kuriert. Und als dem letzten versoffenen Eskimo, der letzten dem Feuerwasser verfallenen Rothaut geholfen gewesen sei, hätten sie ihre mobile Küche in Überseekisten gepackt, um auch die Trinker der Alten Welt zu retten.

Aber nicht die Gemeinschaft der transatlantischen Jungfrauen und auch ich nicht, sondern Strohmann hat den Männern abgewöhnt, sich durch den Tag zu saufen.

Seit sie unter seiner Fuchtel arbeiten, sind sie bis in den späten Nachmittag, bis zu ihrem ersten Auftritt, trocken. Erst unmittelbar vor Vorstellungsbeginn zapft ihnen der Chef aus dem Plastikfäßchen, das dann vor Eva-Marias faltigem Doggenhals hängt, einen doppelten Rum. In der Pause vor der zweiten Vorstellung gibt es Wasser und Säfte. Und wenn sich das Abendpublikum zur S-Bahn und zu den Parkplätzen verlaufen hat und die kleine Bühne im Dunkeln liegt, wenn sogar im Kanzleramt am anderen Ufer der Spree bloß noch die Fenster der Hausmeisterwohnung schimmern, dann wird das vorbereitete Feuer entzündet und unter Strohmanns Aufsicht der hart verdiente Schlaftrunk eingenommen.

Sie sind die Historical Harmonists. In einer Schrift, die gut zu lesen ist, weil sie nur schlaue Schnörkel schlägt, steht der Name Historical Harmonists groß auf jedem der Wohnwagen. «Deutsch wäre natürlich schöner!» pflegt Strohmann zu beteuern, wenn sie wieder einmal offiziellen Besuch haben, wenn er die netten Damen vom zuständigen Bezirksamt, den Referenten des Senators für Soziales oder gar die amtierende Kultursenatorin persönlich herumführt. Der englische Name ihrer Truppe sei allein der Internationalität ihres Publikums geschuldet. Hier im neuen Regierungsviertel treffe man ja an manchen Tagen auf mehr japanische Touristen als auf Abgesandte der deutschen Stämme.

Strohmann weiß, wie mit den Behörden und ihren Vertretern umzugehen ist. Damals, als er aus dem Nichts auftauchte, stand die kleine verkommene Wagenburg vis-à-vis vom Rohbau des Kanzleramts kurz vor der

Räumung. Strohmann fuhr mit einem Moped älterer Bauart vor, und das hustende Maschinchen zerrte einen vollbeladenen Anhänger in den Kreis der Wohnwagen. Ohne sich lange vorzustellen, allein seinen Nachnamen rief er ihnen entgegen, erklärte er den Männern, die Polizei habe zwei Straßenzüge weiter Container bereitstellen lassen, die ihr ganzes Pennergerümpel, ihre elenden Luftmatratzen und den Schrott, mit dem sie das Ufer verunzierten, aufnehmen sollten.

«Wenn ihr nicht weiß werdet, sehe ich schwarz für euch!» drohte ihnen Strohmann, ließ jedoch gleich ein «Mut! Noch ist es nicht zu spät!» folgen. «Schaut!» Sein Zeigefinger deutete auf das andere Ufer der Spree, wo das werdende Amt damals erst das Grau des Betons, das fahle Gelb der Verschalungen und das zufällige Bunt der Gerüste und Maschinen zu bieten hatte. «Schaut! So lange wie der Kanzler braucht unsereins nicht, um Farbe zu bekennen. Serviert euch, bevor man euch abserviert!»

Ohne ihn wirklich zu verstehen, aber mit einer barbarischen Angst im Leibe, halfen alle, den Moped-Anhänger abzuräumen. Ihr Chef – von diesem Augenblick an hörten sie auf sein Kommando! – hatte das Erforderliche herbeigekarrt: Spachtel, Schleifpapier, Vorstreichfarbe, Pinsel und Rollen und ganz viel weißen Lack. Und während sie in kollektivem Furor an ihren schäbigen Wohnwagen kratzten und schliffen, brachte Strohmann vorne an der Straße das Schild an, das die Truppe bis heute in vier Sprachen als ein Arbeitslosen-Theaterprojekt mit Partnerschaften in Europa und Übersee ausweist.

Wenn die Medien bei ihnen weilen, beteuern die

Männer, erst die Arbeit habe sie wieder zu Menschen gemacht. Solche Bekenntnisse zeichnet das Fernsehen am liebsten am Wasser auf. Treuherzig schauen sie dann hinüber zum Kanzleramt. Ihre Blicke schweifen über die Wellen, und ich höre sie vom Ernst und von den Freuden des künstlerischen Wirkens schwärmen. Lügen können die Männer seit jeher, daß es eine Pracht ist. Was seien sie früher schon gewesen: nichts als eine rechte Lumpenbande, die der Zufall in der Wagenburg am Rande des Flusses zusammengeführt habe. Die Spree gluckst zu diesen Sprüchen, als müßte sie, gleich mir, ein Lachen unterdrücken. Der Zufall hat wieder einmal herzuhalten, der ärmste, der magerste aller Sündenböcke.

Es war nicht das Blöken des Zufalls. Ich war es, meine Stimme ist es gewesen. Mein Gesang lockte die Männer zu den Wohnwagen, die jetzt ihre Heimat sind. Die Karren hatten einem kleinen rumänischen Zirkus gehört, dem bei seinem ersten Gastspiel in der deutschen Hauptstadt im Nu alle Artisten entlaufen waren. Damals gab es auf den vielen Baustellen der Stadtmitte für Schwarzarbeiter noch schnelles Geld zu verdienen. Über ein Jahr waren Wagen und Zirkuszelt ohne Aufsicht und mußten allerlei Mißbrauch erdulden. Vom Wasser her habe ich, soweit es in meiner Macht stand, das Schlimmste verhindert. Und doch scheint es selbst mir fast ein Wunder, daß die Wagenburg in der Zeit ihres Leerstands nur erbärmlich beschmutzt und nicht demoliert oder gar abgefackelt wurde.

Die Männer, denen es bestimmt sein sollte, sie neu in Besitz zu nehmen, hatten ein Stück flußaufwärts unter einer Brücke ihr Lager. Den ganzen sehr milden Winter hindurch harrten sie in Hütten aus, die sie sich aus Paletten, Pappe, Styropor und Folien gebastelt hatten. Aber in einer wilden Gewitternacht Anfang März ließ Mutter Natur die Muskeln über der Hauptstadt spielen. Binnen einer Stunde riß der Sturm die jämmerlichen Behausungen ein. Verstört wären die Kerle aus den nassen Trümmern ihrer Wohnstatt in alle Himmelsrichtungen auseinandergestolpert, hätte sie nicht mein Ruf ans Ufer gebannt. Mein Getön, das über den zerrauften Wellen schwang, führte sie und hielt sie zusammen, bis sie die Zirkuswagen entdeckten und vor einem letzten gewaltigen Wolkenbruch Schutz in ihnen suchten.

Zwei Monde lang genossen sie es, ein festes Dach über dem Kopf zu haben und doch, wie gewohnt, wüst in den Tag hinein zu hausen. Dann kam Strohmann, um ihnen auch einen festen Namen und feste Arbeit zu geben. Jetzt sind sie die Historical Harmonists, und das heißt auf gut deutsch, sie müssen dem Gestern den Affen machen. Strohmann übt jeden Vormittag mit ihnen. Bis heute erklärt er dabei fast nichts, sondern führt nur alle Posen vor, die sie als Figuren der lebenden Bilder einnehmen müssen. Unerbittlich grimassiert er, dicht vor jeden einzelnen tretend, bis der die ihm ins Gesicht gebleckte Grimasse ungefähr nachschneiden, irgendwann in der Miene halten und schließlich frei reproduzieren kann.

Und immer läßt Strohmann im Freien proben. Am Ufer, im harten Tageslicht, müssen die Historical Harmonists die lebenden Bilder einstudieren, ohne Kostüm und den Blicken all derer, die zufällig vorbeiströmen, ausgesetzt. Sogar der Kanzler kann sie vom anderen Ufer aus bei ihrer alltäglichen Fron beobachten. Gestern, als er sich, inspiriert von mir, ein Fernglas reichen ließ und das gegenüberliegende Ufer mit geschärftem Blick bestrich, hat er gesehen, was den Männern eingebleut wurde und welch besondere Pein ihnen dabei ins Gesicht geschrieben stand. Und weil der Kanzler, gleich seiner Frau, eine Schwäche für große Hunde hegt, hat er bestimmt auch bemerkt, wie diejenigen, die Strohmann gerade nicht in der Mangel hatte, sehnsüchtig zu Eva-Maria hinschielten und die Dogge um ihr lässiges Hingestrecktsein, um ihre Gesichtslosigkeit, um ihre hündische Freiheit beneideten.

Ich weiß, daß der Kanzler kommt. Strohmann jedoch, der es mit seiner Schläue weit, zuletzt bis in eine Talkshow des Hauptstadtfernsehens gebracht hat, ahnt nicht, daß seiner heutigen Abendvorstellung hoher Besuch bevorsteht. Wie üblich will er das neue Bild vor dem Montagspublikum testen. An den ersten drei Wochentagen füllen das Zelt vor allem Reisegruppen. Strohmann kooperiert mit verschiedenen Veranstaltern und vergibt Kartenkontingente zu Sonderpreisen, sofern frühzeitig gebucht wird. «Erst die vielen Äuglein der Provinz bewahren das Licht der Geschichte!» hat er heute morgen in die Runde der Männer gekräht, als die, erschöpft nach den anstrengenden Aufführungen des Wochenendes und geplagt von den Tücken des neuen Bildes, arg unlustig zu Werke gingen.

Dem Kanzler gefällt es, unvermutet auf Kulturveranstaltungen aufzutauchen. Und seine Vorliebe gehört den populären Künsten. Einen Jumbo-Becher Popcorn auf den Schenkeln, den Arm um die ranke Gattin gelegt, so wurde er neulich in der verbilligten Dienstagssoiree eines Großraumkinos unweit des Kanzleramtes gesichtet. Und als ‹Der Raub der Sabinerinnen› im Weddinger Volkstheater tausendste Vorstellung feierte, zählte er zu denen, die mit Kraft und Geschick aus der Mitte des Parketts einen Blumenstrauß auf die Bühne warfen. So kann es niemanden wundern, daß er sich nun auch bei den Historical Harmonists zeigt. Vielleicht wäre es sogar ohne mein Zutun, früher oder später, dazu gekommen.

Heute nachmittag war die Gemahlin des Kanzlers an der Vorverkaufskasse. Von ihrer extravaganten Sonnenbrille mehr verraten als getarnt, hat sie vier Karten für die Abendvorstellung erworben. Schon als sie in einem engen, leuchtendorangen Sommerkostüm den Uferweg herunterstöckelte, konnte man sehen, daß ihre Handtasche für ein Flanieren entlang der Spree ein wenig zu groß war. Ich brauchte Eva-Maria nicht auf die Sprünge zu helfen, die Hündin hatte gleich etwas gerochen und kam von der Truppe, die sich unwillig mit dem neuen Bild mühte, zur Kasse getrabt. Ja, die Kanzlergattin hatte an sie gedacht. Geduldig wartete Eva-Maria, bis das voluminöse Paket aus der Handtasche gezerrt war, bis die Frau des Kanzlers in die Hocke ging und das Papier auf dem Boden auseinanderschlug. Es war reichlich. Und die noble Spenderin beobachtete aus nächster Nähe – rot spritzte es ihr auf die Strümpfe! –, wie die saftigen Lekkerbissen Stück für Stück verschlungen wurden.

Das Kanzleramt leuchtet, und seine Lichter funkeln auf den schwarzen, sacht schwankenden Wassern. Jetzt, in den warmen Nächten, ist das Amt schön wie ein südländisches Tier. Mich und die Spree erinnert es an den jungen Albino-Esel, den der rumänische Zirkus als letzten Vierbeiner mit sich führte. Wir mögen das Bauwerk leiden. Für viele Sommer ist es gebaut. Aber dem Fluß und vielleicht sogar mir wird es einst, mit geborstenen Stelen, auch als Ruine zu gefallen wissen.

Einer der beiden Bodyguards, die das Kanzlerpaar begleiten, hat das Zelt verlassen, um bei mir am Ufer zu rauchen. Pflichtgemäß läßt er den Blick kreisen, als gelte es, das Terrain zu sondieren. Wie jedes zur Empfindung fähige Wesen, wie Eva-Maria, die die Vorstellung am Wasser verdöst, spürt er, daß in dieser begünstigten Stunde keine der üblichen Gefahren lauert. Jetzt zückt er sein Handy und gibt durch, daß soeben das letzte lebende Bild angekündigt worden sei, daß die Aufführung in circa zwanzig Minuten zu Ende sein werde, daß die Wagen also anrollen könnten.

Strohmanns letzter Monolog dringt nach draußen. Ich höre das haarfeine Beben in seiner Stimme. Ich weiß, wie aufgeregt er ist, wenn er ein Bild zum ersten Mal präsentiert. Mit einer rührenden, fast abergläubischen Innigkeit glaubt er an das Urteilsvermögen seines Montagspublikums. Wenn sie dort drinnen jetzt zu scharren begännen, wenn sich nur ein einziger Provinzler erhöbe, um mit einem mürrischen Kopfschütteln den Daumen nach unten zu drehen, Strohmann nähme das Urteil an. Ohne ein weiteres Wort zu verlieren, bräche er die Vorstellung ab und ließe das Eintrittsgeld zurückerstatten.

Aber nichts dergleichen geschieht. Den Reisegrüpplern, den Abgesandten der größeren und der kleineren deutschen Stämme, allen stockt der Atem. Das neue Bild zwingt sie in seinen Bann. Die Männer, Strohmanns Truppe, halten sich prächtig. Und das Fasten der letzten Wochen, nun erweist sich, daß es nötig war. Die zwei, drei Kilo, die alle Bewohner der Wagenburg dem neuen Bild geopfert haben, zahlen sich in künstlerischem Mehrwert aus. Strohmann, der es versteht, seine Darsteller in einem holzschnittartigen Weißschwarz zu schminken, ist es leichtgefallen, den hageren Gesichtern die rechte Fahlheit und Hohlwangigkeit zu verleihen. Nach Sibirien, nach Kohlegrube und Bleibergwerk, sehen die Männer aus. Und dem, der den ersten Kanzler der Republik verkörpert, spannt sich die Haut in einem gespenstischen, in einem wahrhaft historischen Gelb um den glaubwürdig greisenhaften Schädel.

«Der gute alte Kanzler holt die letzten Männer heim!» So heißt das lebende Bild im Programmheft. Die Kulisse, von der Truppe selbst gebaut, wird die Presse erneut als genialisch-dilettantisch loben. Eine grüne Pappwand soll und kann als ein Eisenbahnwaggon erkannt werden. Die Männer, die die letzten aus russischer Kriegsgefangenschaft zurückkehrenden deutschen Landser geben, haben sich davor zu einer Art Pyramide formiert. Die untersten kriechen auf der Stelle. Man ahnt unter ihren Knien und Ellenbogen ein unruhiges Fundament aus toten Kameraden. So robben sie auf den zu, der den ersten

Nachkriegskanzler verkörpern darf. Auch die Stehenden sind nicht frei, sondern tragen andere endlich Entlassene huckepack. Und die Höchsten, die noch nicht ausgestiegen sind, sondern sich weit aus den Fenstern des Waggons lehnen, sie weisen, ihre verbeulten Mützen in den Händen, auf eine kleine Flagge, deren Schwarzrotgold, trotz der Winzigkeit des Fähnchens, die Spitze des Ganzen bildet.

Strohmann steht wie immer hinten im Publikum und erzählt. Ohne Mikrophon, allein mit der Kraft seiner ein wenig näselnden, stets aber scharf akzentuierenden Stimme, berichtet er, wie der gute alte Kanzler beim Russen im Kreml gewesen sei, um bescheiden und schlau und hartnäckig um die Freilassung der Gefangenen zu feilschen. Und beiden, dem Kanzler wie den Künstlern, ist das Glück hold. Wieder ist dem Publikum, als wäre es dabeigewesen. Wer in die Gesichter schaut – so, wie ich es kann, wenn ich mag –, wird selbst den im Zelt verbliebenen Bodyguard mit glasigen Augen um Fassung ringen sehen. Das erste Kanzlerbild, das erste lebende Bild der neuen Serie, ist gelungen. Und am Wochenende, vor internationalem Publikum, wenn Strohmann die Geschichte in seinem großartigen Kauderwelsch aus Deutsch und Englisch und Deutsch erzählt, werden – ich weiß es – die Japaner weinen.

Die bestellten Gastronomiewagen sind vorgefahren, und im Handumdrehen hat man sie dienstbereit gemacht. Jetzt leuchten bunte Glühbirnen über ihren Verkaufstheken. An der einen zapft man zwei gepflegte Berliner Biere. An der anderen kann zwischen drei verschiedenen Bratwurstsorten gewählt werden. Noch während des Beifalls hat die Gattin des Kanzlers Strohmann beiseite genommen und ihn eingeweiht. Dann ist sie mit ihm vor das Publikum getreten und hat alle Besucher und die verehrten Künstler gebeten, draußen an der Spree mit ihr und ihrem Mann diesen wunderbaren Abend, diese herrliche Sommernacht und ihren Geburtstag zu feiern.

Auch eine Handvoll ausgesuchter Pressevertreter sind inzwischen eingetroffen und photographieren diskret vom Rande. Auf einem Schild ist zu lesen, daß der Gesamterlös aus dem Verzehr dem Projekt ‹Historical Harmonists› zugute komme. Und eben hörte ich den Kanzler, der sich, umringt von neugierigen Vorstellungsbesuchern, eine Thüringer Grillwurst einverleibt, vollmundig lachend erklären, daß das Kanzleramt selbstverständlich nichts von alldem bezahlen müsse. Er erlaube sich als Privatmann, der er ja auch noch sei, den Geburtstag seiner lieben Frau aus eigener Tasche zu bestreiten.

Glücklich wie lange nicht mehr greifen Strohmanns Männer zu, ich sehe sie lachen, trinken und essen. Man achtet darauf, daß sie nicht um Wurst und Bier anstehen müssen. Und jetzt geht die Gattin des Kanzlers zu ihrem Tisch, setzt sich mitten unter sie und scherzt mit ihnen. Einem der mampfenden Kerle fällt auf, daß sie nur ein Getränk, einen kleinen Pappbecher Mineralwasser, in der Hand hat. Und er taucht ein Nürnberger Bratwürstchen tief in den Senf und manövriert es in einer charmant verwegenen Kurve vor ihren Mund, während ein zweiter in kluger Vorahnung sogleich eine Serviette unter die Wurst hält, um das Kleid vor dem tropfenden Fett zu schützen. Ohne zu zögern, ohne auch nur mit den langen Wimpern zu zucken, bleckt die Gattin des Kanzlers die Zähne und beißt sorglos ab.

Bloß Strohmann, mein großes mageres Strohmännchen, ist nicht in Einklang mit der Stunde, kann nicht genießen, wie sich die Dinge im Licht des Vollmonds geordnet haben. Unruhig ist er ein Stück die Spree hinuntergelaufen. Eva-Maria trottet ihm nach, und ich folge ihm über den Wassern. Er, dem vorhin erst so viel gelungen ist, er grübelt bereits wieder über dem, was ihm in Zukunft mißraten könnte. Fünf weitere Kanzlerbilder will er aus der Geschichte schöpfen, und die historische Verantwortung krampft ihm den Bauch zusammen. Klein und hart ist sein Magen jetzt, ein verkümmertes Organ, mimetisch ähnlich den geschrumpften Mägen jener von ihm heraufbeschworenen Landser. Ja, auf seinen Lippen kauend, gleicht der ganze Strohmann denen, die ein sibirischer Hunger leiden ließ.

Die Spree schnipst kleine Wellen ans Ufer. Sie lacht unseren Strohmann freundlich aus und ermuntert mich, ihm ein Liedchen zu summen. An mir soll es nicht liegen. Ich bin jung und alt. Ich! Ich bin die Muse des Amtes. Ich kenne alte und neue Lieder. Und kurz, für einen schwankenden Moment, scheint Strohmann aufzuhorchen. Seine Augen suchen den Fluß ab, doch er sieht mich nicht, nur das Kräuseln des Wassers unter meinen bloßen Sohlen. Ach, es ist eine berufsbedingte Behinderung, die ihn jetzt ausschließt. Schon ist er erneut an seine Sorgen verloren, er murmelt vor sich hin, und ich höre auch ihn den Zufall verdächtigen: Der Zufall, dieses Mal der glückliche – aber flüchtige! –, soll den amtierenden Kanzler und das erste Kanzlerbild der Historical Harmonists zusammengeführt haben.

Eva-Maria blickt zu ihm auf und seufzt laut. Ihre Lefzen schlabbern, als sie den gewaltigen Schädel schüttelt. Dann senkt sie die Schnauze zum Wasser. Wenn sie ein Gesicht hätte, würde sie mir in hündischer Einsicht zulächeln. Statt dessen knickt die deutsche Dogge die Hinterläufe leicht ein. Graziös senkt sie das Hinterteil, bis ihr Schwanz den Boden berührt. Ihre Augen verschleiern sich, ihre Lider vibrieren. Im offenen Maul schimmern ihre Fänge. Und für uns, für Strohmann und für mich und für die Spree, läßt sie ihr Wasser in einem prächtigen Strahl auf den Beton der Böschung prasseln.

Nico, komm!

Gut und schön und erfolgreich ist meine Kolumne von Anfang an gewesen, aber wahrhaft ins Herz meiner Zeitgenossen treffe ich erst, seit ich die hundertzwanzig Zeilen im Nachtzug schreibe. Leider kann dessen Farbe nur bei Tageslicht als ein satt glänzendes Blau wahrgenommen und genossen werden, denn auf dem nächtlichen Bahnhof erniedrigt das Kunsthell der Lampen diesen Ton zu einem stumpfen Anthrazit. Notgedrungen sind die Photos, die für die neue Linie werben, am Computer nachkoloriert worden: Märchenblau zieht der Zug vor pechschwarzem Himmel über die Werbefaltblätter. Ein Dreiergrüppchen großer Sterne weist ihm links den Weg, während der Schein, der honigfarben durch die Scheiben der Großraumwagen dringt, sich nach rechts, ins Lichtlose, verwischt.

Einmal pro Woche, in der Nacht von Sonntag auf Montag, fahre ich mit dem Nachtzug aus dem Westen in den Osten Deutschlands. Fast immer finde ich einen Wagen für mich allein. Nie soll die neue Linie, die sich stolz GERMAN NIGHTFLIGHT nennt, ausgelastet sein, und keiner weiß, warum sie bis jetzt nur halbherzig angenommen wird. Mir ist das recht. Ginge es nach mir, könnte der Zug weiterhin weitgehend von meinesgleichen freibleiben – von jenen mittelalten männlichen Zeitgenossen, unter denen ich fünf Tage später, am Freitagabend, in der Enge des ausgebuchten Flugzeugs die Rückreise über mich ergehen lasse.

Die erste Fahrt hat mich gewonnen. Der Kölner Bahnhof, der zu Recht als einer der häßlichsten der Welt gilt, wurde wieder einmal umgebaut. Noch spät am Abend waren Säge- und Schweißarbeiten im Gange. Die wenigen Fahrgäste, die mit mir auf dem Bahnsteig gewartet hatten, flohen vor dem Zischen, Kreischen und Hämmern, vor den Flüchen eines überforderten Vorarbeiters in die verspätet bereitgestellten Wagen. Drinnen war es dann erstaunlich still. Ich hängte meinen Mantel auf und erprobte die neuartigen Sitze, die zum aufrechten Lesen und Arbeiten genauso taugen wie zum entspannten Sichstrecken beim Dösen oder Schlafen.

Als der Zug anfuhr, klappte ich meinen Rechner auf und begann am Text meiner neuen Kolumne zu arbeiten. Wie ich gehofft hatte, schrieb es sich leicht im Fluß der Fahrt, stimuliert von den gut gedämpften rhythmischen Erschütterungen, die der Schienenstrang einem modernen Zugkörper noch mitteilt. Bald war ich über dem Text zusammengesunken. Ich, der ich eh schon zu den Kleinen zähle, neige dazu, mich im Sitzen weit nach vorn zu krümmen. Meine Nasenspitze berührt dann fast den Bildschirm des Notebooks, und es kann geschehen, daß ich von dem, was links und rechts der Leuchtfläche geschieht, nichts mehr bemerke.

So kam es, daß ich – mein erster Nachtzug hatte irgendwann freies Land gewonnen – von einem Geräusch, von einem Fiepsen, hochschrak. Ich war nicht mehr allein. Schräg gegenüber, nur durch den Tisch von mir getrennt, saß ein Kind und hielt einen schmalen Spielcomputer vor der Brust, aus dem nun ein Bimmeln, die elektronische Karikatur eines Glöckchens, tönte.

«*Der Frosch ist tot!*»

Das war für mich gesagt. Aber ich ließ mich nicht locken, sondern duckte mich wieder hinter meinen Bildschirm. Ich wollte der unverhofften Ablenkung nicht einmal den kleinen Finger geben. Irgendwo im Zug mußten sich zu diesem Kind Eltern, zumindest ein Erziehungsberechtigter oder eine mit seiner Beaufsichtigung betraute Person verbergen. Noch balancierte der Text, den ich kommenden Nachmittag abzuliefern hatte, auf dem Fuß des ersten Absatzes. Ein Stadium, in dem ich mich liebend gern von jeder Nichtswürdigkeit in Versuchung führen lasse. Schnell hackte ich ein paar Sätze in die Tastatur, Paraphrasen des bereits Geschriebenen, nur um erneut in Schwung zu kommen.

«*Du heißt Herr Niklas Jähner!*»

Das Kind hatte meinen Namen vom Notebook-Deckel abgelesen, obwohl die Schrift aus seiner Sicht auf dem Kopf stand. Ich zwang mich, den Störenfried zu fixieren. Ich wollte sicherstellen, daß er nicht mehr jung genug war, um einen fremden Erwachsenen zu duzen, und ihn dann kurz und barsch zurechtweisen. Aber ich verstehe nichts von Kindern. Da ich mich nie um die Platzwunden ihrer Tage, nie um die Mittelohrentzündungen ihrer Nächte habe kümmern müssen, da mir weder das Keimen ihrer Milchzähne noch deren frühes oder spätes Ausfallen unauslöschliche Zeitmarken gesetzt hat, sind mir die Stadien des kindlichen Heranwachsens ein Mirakel. Einen Hinweis suchend, taxierte ich die Schuhe meines Gegenübers. Ihre Spitzen erreichten den Boden nicht, was auf ein eher geringes Alter schließen ließ. Andererseits sahen die Sportschuhe gewaltig voluminös aus. Von irgendwoher, wahrscheinlich aus dem Fernsehen, glaubte ich zu wissen, daß die Körperteile der Kinder selten gleichmäßig wüchsen und überproportional große Füße heutzutage besonders häufig seien.

Das Kind hatte sein Spiel wiederaufgenommen. Der Frosch, den es mir hatte vorstellen wollen, war zu einer neuen Runde angetreten. Als grüne Kugel konnte ich ihn über den winzigen Bildschirm rucken sehen. Die Daumen des Kindes bearbeiteten links ein Plastikkreuz, dessen Balkenenden sich nach unten drücken ließen, rechts drei rote, zu einem engen Dreieck angeordnete Knöpfe.

«Herr Jähner, du fährst ja ganz allein. Möchtest du nicht lieber mit deiner Familie fahren?»

Vielleicht hätte ich darauf mit einem unehrlichen ‹Ja› oder wenigstens mit einem kinderfreundlichen ‹Vielleicht› antworten sollen. Doch ich schüttelte den Kopf. Mein Vater ist – in allseitigem Interesse, auch in seinem eigenen – sehr früh gestorben. Meine Mutter läßt netterweise, abgesehen von einer fast textfreien Weihnachtskarte, das ganze Jahr nichts von sich hören. Und jederzeit würde ich sie dafür preisen, daß sie mir keine Geschwister beschert hat.

«Magst du keine Leute? Bist du lieber allein, Onkel Jähner?»

Zumindest bin ich im Lauf der Jahre zum Verfechter

einer distanzierten Höflichkeit geworden und würde diese in nahezu jedem Fall der sogenannten Ehrlichkeit vorziehen. Denn diese Scheintugend bildet mit ihren vier Schwestern, der Frechheit, der Plumpheit, der Aufdringlichkeit und der Roheit, eine Faust, die mich einige Male unvergeßlich schmerzhaft getroffen hat. Sicherheitshalber speicherte ich das Geschriebene ab. Und wirklich, als hätte ich es vorhergesehen, hopste mein Gegenüber von seinem Sitz, schob sich am Tisch, der uns so angenehm getrennt hatte, vorbei und setzte sich neben mich.

Von hinten kam der Zugbegleiter, ein weißhaariger alter Mann, den ich in den folgenden Wochen nie wieder sehen sollte. Vielleicht war just meine Jungfernfahrt seine letzte Dienstnacht. An seinem hageren Körper bewunderte ich zum ersten Mal die blaue, aus einem samtig glänzenden Stoff gefertigte Uniform. Ihr nostalgischer Schnitt, vor allem der rundliche Kragen und die langen Schöße der Jacke, ließ mich an das Personal verflossener Fortbewegungsmittel denken, an die Schlafwagenschaffner des Orient-Expresses und an die stolzen Stewards der Zeppelin-Überseeflüge. Das Kind wurde nicht nach seinem Fahrausweis gefragt, obwohl ich meinen hatte vorzeigen müssen. Das hieß, daß irgendwo eine Begleitperson saß, in deren Obhut man es, sobald es sich endgültig als Quälgeist herausstellte, zurückbringen konnte.

«Du weißt nicht mal, ob ich ein Junge oder ein Mädchen bin!»

Es gibt Empfindungen, die man auch nach jahrelanger Abwesenheit schlagartig wiedererkennt. Hitze wallte zwischen meinen Schulterblättern auf, strahlte mir über den Nacken in den Schädel und strömte gleichzeitig nach unten, Richtung Solarplexus. Aus den Augenwinkeln schielte ich auf die Knie und auf die nach vorne schaukelnden Unterschenkel des Kindes. Es trug eine grüne Cordhose ohne geschlechtsspezifische Kennzeichen. Vielleicht hätte eine erfahrene Kindergärtnerin aus der Schleifenform der Schnürsenkel schließen können, ob sie von einem Jungen oder einem Mädchen gebunden worden waren.

«Soll ich es dir zeigen, oder willst du es lieber selber rauskriegen?»

Mit einem Ruck nahm mein Oberkörper Abstand, fast saß ich auf der Armlehne, den Rücken am Fenster, die Kühle der Scheibe drang durch mein Hemd. Aber das Kind folgte meinem Ausweichen und stieß mir den Spielcomputer kraftvoll gegen die Rippen.

«Es heißt Hüpf-Frosch. Es ist leicht zu verstehen, auch für erwachsene Männer!»

Der Schaffner kam zurück. Auf einem Tablett balancierte er ein Glas mit einer milchigen Flüssigkeit. Vielleicht ließ sich die Mutter des Kindes einen Anislikör oder etwas anderes, die Magennerven Beruhigendes servieren und genoß die Zeit, in der ihr quicklebendiger Sproß auf Abenteuer mit Fahrgästen aus war. Der alte Zugbegleiter schenkte uns beiden ein gütiges Lächeln. Gewiß hatte er beobachtet, wie meine Hände auf das Spielgerät gezogen wurden. Mir war dabei der große Ring aufgefallen, den das Kind trug. Ein rotes, golden eingefaßtes Plastikherz. Für einen Moment zweifelte ich nicht, ein Mädchen vor mir zu haben. Womöglich war der Ring aber nur angesteckt worden, um ein Gegengewicht zu den zwei breiten Pflastern zu schaffen, die auf den Fingern klebten. Beide waren braunfleckig von durchgesupptem Blut, und über den Rücken der anderen Hand, der rechten, zog sich eine frisch verkrustete Schramme.

«Wenn er tot ist, geht das Spiel von vorne los!»

Ich spielte Hüpf-Frosch, und es war wirklich nicht schwer. Was hat ein Frosch schon zu tun: Er hält sich an seinen feuchten Flecken Welt, frißt die, die in sein breites Maul passen, und hopst denen aus dem Weg, die ihn in den Schnabel oder zwischen die Zähne nehmen möchten.

«Du bist richtig gut! Gib zu, daß es dir Spaß macht!»

Ich gab zu, daß es mir gefiel, das Spiel zu beherrschen, und verschwieg, was mich störte. Das Kind hätte nicht verstanden, warum ich diesem Tier gelegentlich ein simples Dasitzen, ein Blinzeln in die Sonne oder ein längeres Gequake unter dem Pixelmond gegönnt hätte. Phasen des Verweilens waren jedoch nicht programmiert. Allenfalls konnte man sich auf die lahm voranruckende erste Schwierigkeitsstufe beschränken, aber da gerade deren Progression mit ihren zeitlupenhaften Sprüngen für mich etwas Zermürbendes hatte, floh auch ich, der ich eigentlich in jedem Spiel nach Momenten der Muße suche, in die schnelleren Gangarten.

«Dein Frosch ist tot. Noch mal!»

Ich hatte den Kleinen – es war wohl ein cleverer, altkluger Bengel – ausgetrickst. Er hatte nicht bemerkt, daß ich den grünen Hüpfer absichtlich zwischen die roten Bälkchen, die Storchenbeine darstellen sollten, gelenkt hatte. Adebar stieß zu, und das Fröschlein zappelte, spektakulär am Leben hängend, im Schnabel. Unter dünnem Gebimmel wurde die erreichte Punktzahl angezeigt. Mein kleiner Lehrmeister wählte die nächste Stufe und schickte mich wieder auf den Weg. Nun ging es deutlich flotter, dennoch kam ich problemlos voran. Erst in einer düsteren Unterwasserszene wagte ich erneut den Selbstmord und sprang einem Hecht ins Maul.

«Wenn du noch einmal schwindelst, Onkel Jähner, sage ich alles meiner Mutter!»

ICH SAGE ALLES MEINER MUTTER! heißt die Kolumne, die ich gerade in der dritten Woche schrieb. Und damals, nach ihren ersten beiden Folgen, ließ sich noch nicht erkennen, was für ein großartiger Erfolg sie werden sollte. Als ich mein Konzept in der Berliner Redaktionsrunde vorgestellt hatte, war mir aus dem blutjungen Team gnädiges Minimalinteresse entgegengegähnt, jenes herablassende Wohlwollen, das zu den tödlichen Waffen der Nachwachsenden zählt. Plötzlich aber hieb der einzige Oldie der Redaktion, ein seit seinen Rundfunktagen unverwüstlich beliebter Sportreporter, mit der Faust auf den Tisch und rief, meine Idee sei so umwerfend blöd, daß sie wirklich einschlagen könnte.

Der Witz liegt wie so oft in der Wiederholung. Meine hundertzwanzig Zeilen käuen jedes Wochenende die gleiche Geschichte wieder: Ein junger Berliner, der im Kölner Mediapark bei einem privaten Fernsehsender arbeitet, fliegt sonntags in die Hauptstadt, um bei seiner

Mutter im Stadtteil Neukölln Kaffee zu trinken und Sandkuchen zu essen. Er erzählt ihr von seinen Produktionsnöten. Und sie, die verwitwete Rentnerin, die die ganze Woche allein vor dem Fernseher gesessen hat, schöpft aus der Fülle ihrer Erfahrungen und steht ihm mit Rat und Mutterwitz zur Seite. An Leib und Seele gestärkt, darf der nervöse Medien-Jüngling Sonntagabend zurück in den wilden Westen jetten.

In den Anfangsfolgen von ICH SAGE ALLES MEINER MUTTER ließ ich noch allerlei Randfiguren auftreten. Doch seit meiner ersten Fahrt im German Nightflight bin ich weltklug geworden und beschränke mich auf das Wesentliche: auf die Mutter, den Sohn und das Fernsehen. Nur ein Aquarium, das einst dem Sohn gehört hat und von der Mutter seit seinem Auszug gewissenhaft weiterversorgt wird – drei uralte Skalare ziehen im Wasser steifflossig ihre Bahnen –, zeugt in meiner Kolumne von einem über das magische Dreieck hinausgehenden Leben. Wenn die beiden bei Kaffee und Kuchen über das Fernsehen sprechen, bleibt die Mattscheibe grau, aber zum Ausgleich blicken Mutter und Sohn in das stark veraltete, grün schimmernde Becken.

«Paß auf! Paß auf! Du gewinnst!»

Mein kleiner Antreiber hüpft auf seinem Sitz und schlägt mir mit der verpflasterten Faust gegen die Brust. So ähnlich, vielleicht bei einer Schulprügelei, hat er sich gewiß seine Verletzungen zugezogen. Also ist gottseidank klar, daß ich es mit einem Geschlechtsgenossen zu tun habe. Doch der Anblick eines Ohrrings, der sich plötzlich unter den mit einer heftigen Geste zurückgestrichenen langen Haaren zeigt, bringt mein Urteil wieder ins Wanken. Welcher Junge ließe sich von seiner Mutter ein rotes Herzchen ans Ohrläppchen stecken?

Mein Frosch, der bis jetzt jeder Lebensgefahr mit schlafwandlerischer Sicherheit aus dem Weg gegangen ist und erbarmungslos Punkte gesammelt hat, ist vom Fressen dicker geworden, und mit wenigen stilisierten Runzeln verleiht ihm der Bildschirm die Würde eines alten Haudegens. Seine Sprünge sind weniger hoch als bei Spielbeginn, und seine Reaktionen erfolgen, sosehr ich mich mühe, fix zu sein, verzögert. Jedoch mein Gespür für Gefahr, mein schlaues Geschick, den Angreifer erst im letzten Augenblick ins Leere laufen zu lassen, helfen dem fett gewordenen Hüpfer immer wieder weiter. Auch bei diesem Spiel scheint Erfahrung nach und nach den Charakter von Tücke anzunehmen.

«Du hast gewonnen, Onkel. Ich habe doch gesagt, daß du gewinnen kannst. Guck doch! Guck doch! Hörst du nicht, Herr Jähner!»

Ich höre und sehe sehr wohl. Das Kind müßte nicht schreien und bräuchte mir nicht mit dem Spielcomputer auf die Knie zu hämmern. Der letzte Gegner ist eine wirkliche Überraschung: Aus dem Schilf des Teichs erhebt sich etwas Metallisches, ein gewaltiger mechanischer Frosch. Sein eckiger Körper ist aus eisernen Platten zusammengenietet. In der Mitte des Oberkiefers hat er einen einzigen korkenzieherförmigen Zahn. Und als ich meinen kleinen Fettsack mit hektischem Tastendrükken ins schützende Rohrdickicht manövrieren will, reagiert er nicht. Links oben erscheint die maximale Punktzahl. Verwirrt versuche ich zu begreifen, daß wir, obschon sich der Zahn unendlich langsam in unser grünes Fleisch preßt, das Spiel gewonnen haben – daß ich in der mir zugesprochenen Spanne Sieger geworden bin.

«Nico, komm!»

Der Ruf kam von vorn, aus der Tür zum Nachbarwagen. Nur einmal mußte gerufen werden, denn folgsam, wie ich es nicht erwartet hätte, sprang mein Mitreisender auf, nahm mir das Gerät vom Schoß, drückte es sich an die Brust und eilte, zierlich hüpfend, davon. Er war wohl doch ein Mädchen.

Der siegreiche Frosch hatte sich unter dem spitzen Zahn seines mechanischen Artgenossen unendlich langsam verformt, doch schließlich erreichte die Elastizität seines Körpers eine Grenze, und zeitgleich mit einem Fiepsen drang ihm die stählerne Spitze ins Fleisch. Heute, nach vielen Fahrten im Nachtzug, denke ich mir, daß der Zahn das Herz erreicht. Der Frosch stirbt daran, aber wie es sich für einen Helden gehört, macht er etwas aus seinem Abgang und entscheidet sich zu platzen: Er fliegt auseinander, pixelfein stiebt seine Substanz über den Bildschirm. Das Grün läßt sich Zeit, im Blau zu verschwinden, und der schwache, aber nicht schlechte Lautsprecher generiert ein glockenähnliches Läuten. Der Frosch ist tot! Ich sage alles meiner Mutter. Meine Kolumne ist gut und schön und wahr. Nico kam, als man rief. Warum soll ich mich vor der Zukunft fürchten?

Wichte

Die Cherubim

Sie waren ein gutes Team; es gab keine Mauern zwischen ihnen. Transparent waren sogar die Raumteiler rund um ihre Arbeitsstationen: Bambusrahmen, bespannt mit Japanpapier. Lautlos verschoben sich die Paravents, sobald nur eine Schulter an sie rührte. Das Team mochte diese gleitenden Wände. Sie paßten zu seinem Tun, und sie sahen so schön aus: nahezu natürlich. Die einzelnen Körper schimmerten durch das Papier, farbarm und weichgezeichnet. Ein unbeteiligtes Auge hätte das Team für ein bloßes Nebeneinander selbstverliebter Gespenster halten können. Aber sie waren in einem Zweck vereint und konkret; in neun Monaten sollte das Projekt beendet sein.

Die gemeinsame Arbeit begann an einem Abend. Im Laufe des Tages waren sie eingetroffen. Aus aller Herren Länder hatte sie die Konzernmutter für die Abschlußphase zusammengeholt. Kurz standen sie in der Mitte des Raums, den sie sogleich ‹Die Halle› nannten und in dessen Rechner ihnen das bereits Erreichte vorausgeeilt war. Die meisten hatten sich nie zuvor gesehen, doch man kannte den Erkenntnisauswurf des anderen. Jetzt durfte jeder staunen, wie jung sie ausnahmslos waren. So viel Wissen im Schädel, so wenig Falten im Gesicht!

Es gab keine Fenster, ihre Halle war das Kerngehäuse des großen Bauwerks. Das Team brauchte keine Fenster.

Die ganze Decke war ein Beleuchtungshimmel. Er mischte das Spektrum eines bewölkten Sommertages in gemäßigten Breiten und war so programmiert, daß er die Spanne zwischen Morgenhelle und frühem Nachmittag durchlief. Dann, nach einem zarten Flackern, begann er von neuem; diese acht Stunden, vor und nach dem Zenit der sommerlichen Sonne, liefern bekanntlich das Licht, das den meisten Pflanzen und allen höheren Tieren, auch dem Menschen, am besten bekommt.

Später, sie waren schon weit im Projekt fortgeschritten, träumten sie manchmal von sich als nackten Gärtnern: Nur mit schweren ledernen Schürzen bekleidet, schleppten sie verzinkte Gießkannen durch die Halle. Kaum hatten sie eine Stelle des Bodens gewässert, schoben sich ruckend, in deutlichen Wachstumssprüngen, Triebe hinauf zu den Lampen. Jeder war seltsam beschämt, wenn er erwachte. Immer waren die Gewächse, die sie hegten, in all ihrer Prallheit ungut fahl, auf eine geile Art gelb gewesen.

Aber das Team schlief zuwenig, um seine Träume zu achten. Die Arbeit vollzog sich gleitend, in freien Schichten: Wer eine Auszeit benötigte, huschte davon, ohne den Bildschirm zu löschen. Wer zurückkam ins Licht, ging einmal rundum und klatschte in die Hände der anderen. Und alle fanden es sinnig eingerichtet, daß die Appartements direkt über der Halle lagen. So nahe, daß von einem Weg hinauf, von einem Weg hinunter kaum die Rede sein konnte. Es war, als saugte sie ein elektrischer Pol nach oben in die Kojen. Noch schneller ging es zurück: An messingfarbenen Stangen, wie Feuerwehrleute zu den Löschfahrzeugen, rutschten sie wieder an ihre Plätze.

Herrlich war die Stille, die sie sich teilten. Ihr Stolz schien jeden Störlaut zu schlucken. Ein jeder wußte sich als der Beste auf seinem Gebiet und konnte das gleiche von den anderen sagen. Sie fühlten sich als die Könige von begrenzten, aber nicht zu umgehenden Reichen, als Beherrscher der Territorien, durch die die neue Seidenstraße führte. Und zugleich waren sie die Karawane, die auf diesem Weg die Kostbarkeiten eines neuen Indien barg. Ein großer, dummer Fehler an einem ihrer Rechner hätte alle für Tage in die Irre laufen lassen. Aber sie hatten in den letzten Jahren gelernt, kleine, kluge Fehler zu begehen. Und nur ein Verrückter wäre auf die Idee gekommen, dem Fortschritt ein Bein zu stellen.

Ein Klo jedoch, das Damen-WC, war vom ersten Tag an defekt. Die Arbeitsetage, die sie in ihren süßesten Gedanken schon ‹Die Ruhmeshalle› nannten, hatte merkwürdigerweise nur zwei winzige Toiletten. Mehrmals erschienen Handwerker, um ein paar Stunden lang Lärm und Schmutz im Frauenklo zu machen. Wenn sie schließlich abgezogen waren, hing wie zuvor ein Pappkarton, darauf eine Hand, die einen klobigen Schraubenschlüssel führte, als Zeichen ihres Scheiterns über der Klinke. Das Mechanische hat große Auftritte gehabt. Aber heutzutage ist es nur mehr der Clown im Zirkus der Technik. Das Team war diesen armen, tragikomischen Bastlern gegenüber zu Großmut verpflichtet.

Diskret teilten sie sich die Herrentoilette, und ähnlich diskret vermied man, gemeinsam zu essen. Schon die

Vorstellung, alle säßen um einen Tisch und alle Hände wären damit beschäftigt, Münder vollzustopfen, hätte einen Mißklang mit dem Grundton ihres Tuns ergeben. So aß jeder für sich, ohne die Arbeit zu unterbrechen: Nüsse, Rohkost, Käse, verschiedene Früchte, vor allem Bananen und Mangos. Ja, das Mango- und Bananenessen nahm in einer Weise zu, die ihnen, die sie doch ein scharfes Gespür für Progression besaßen, längst hätte auffallen müssen.

Aber sie dachten sich nichts dabei, und es wunderte auch keinen, als sie alle, fast gleichzeitig, Probleme mit dem Rücken bekamen. Kleinere Beschwerden, einen steifen Nacken, Schmerzen in der Steißbein- und Lendenwirbelgegend, hatte jeder aus der Vorphase des Projekts mitgebracht. Sie waren sitzende Götter, und jetzt, wo sie darangingen, das große Puzzle zusammenzufügen, nahm auch der Druck auf ihre Wirbelsäulen zu. Man hatte Tricks, um sich über die Runden zu retten. Manche begnügten sich mit Dehnen und Recken. Andere vertrauten der alteuropäischen Isometrik und drückten in ausgeklügelten Übungen gegen alle Widerstände, die ihnen Stuhl und Tisch boten. Wieder andere suchten im Zeitlupenkampf mit einem unsichtbaren asiatischen Gegner den wahren Weg zur Entkrampfung.

Ausgerechnet am Großen Tisch kam es zum ersten Zusammenbruch. Der Große Tisch war ein Leuchttisch. Wenn wir uns an ihm trafen, las seine Platte, zunächst noch dunkel bleibend, die Linien unserer Handteller. Sobald sich alle Hände korrekt, mit gespreizten Fingern, auf das Glas preßten, flammte das Licht auf. Es war ein grandioses, ein historisches Gelb, das Gelb gewaltiger Kohlefaser-Glühbirnen. Mit diesem Gelb hatte einst, hier in dieser Stadt, der Fortschritt seinen Anfang genommen. Mit diesem Glühen hatte angehoben, was wir kalt zu Ende bringen wollten. Ja hier, am Großen Tisch, wo wir, die Spezialisten, uns zum Geist des Projekts vereinten und das Modell sichtbar wurde, nur hier kam unser Team ganz, in seiner ganzen kühlen Wirklichkeit, zu sich.

Ich war es nicht, der über die Tischkante kippte. Ich vermag nicht einmal zu sagen, ob die Person, deren Oberkörper ohne einen warnenden Laut auf das leuchtende Glas stürzte, weiblichen oder männlichen Geschlechts war. Wir dachten an einen Hexenschuß, aber der Schmerzpol des ins Licht gekrümmten Körpers saß näher am Kopf, irgendwo zwischen den Schultern, in jenem Bereich des Rückens, der auch in entspanntem Zustand nur mit den Fingerspitzen zu erreichen ist. Heute wissen wir, warum es uns so schwerfiel, dem auf den Tisch Gefallenen zu helfen, warum erst verspätet zwei von uns, eine Frau und ein Mann, den versteinerten Rücken des Zusammengebrochenen zu betasten begannen.

Oben in unseren Appartements waren die Naßzellen mit Spiegelfliesen beklebt. Auch der Fußboden und die Decke waren davon nicht ausgenommen. Ich hockte mich gerne zwischen Toilette und Waschbecken und rauchte, an die Wand gelehnt, die zwei, drei Zigaretten, die ich brauche, um einschlafen zu können. Andere zogen sich den Fernseher vor die Tür ihres Feuchtraums und setzten sich trinkend unter den Strahl der Dusche. Wer verstünde das nicht. Es kann herzzerreißend schön sein, es rührt an wie ein altes Lied, ein kleines Fernsehbild und das eigene nasse Gesicht in den Fliesen vervielfältigt zu sehen.

Wann die anderen von der Veränderung ihres Körpers eingeholt wurden, kann ich nicht wissen. Mich bekamen die Spiegel des Bades bis zuletzt nicht nackt zu fassen. Ich duschte stets im Pyjama. Schon während ich rauchte, wurde sein dünner Baumwollstoff wieder trocken. Die Fußbodenheizung wärmte mir Gesäß und Beine. Meistens fönte ich mir dann nur noch Kopf und Brust. Ich mag es, mit nassem Rücken ins Bett zu kriechen. Dort, im Liegen, müssen wir alle nach und nach etwas gemerkt haben. Es wuchs aus uns heraus. Mich pikste es, hart und doch elastisch wie mit einem Federkiel, zwischen die Schulterblätter, sobald ich mich auf die linke Seite, in meine Schlafposition, wälzte.

Wir taten nichts dagegen, außer Tee zu trinken. Dünner und dünner wurden die vielen Tees, die schwarzen, grünen und roten, die wir uns immer häufiger brühten. Und wie um diesen Verlust an Substanz auszugleichen, entstanden wundersame Zeremonien der Zubereitung. Zum Glück hat niemand gesehen, welches Brimborium wir um das heiße Wasser und um die winzigen Blattmengen veranstalteten, die wir damit aufgossen. Wenn unsere Tees zuletzt überhaupt noch eine Farbe hatten, dann muß es der Ton gewesen sein, den auch die Porzellanschüssel unserer einzigen Arbeitstoilette allmählich

annahm. Seit ein paar Wochen blieb der Reinigungs-
dienst aus. Und auch die Monteure, die sich, ergebnislos,
aber rührend regelmäßig, um die defekte Damentoilette
bemüht hatten, ließen sich nicht mehr blicken.

Heute denke ich, für uns Krüppel ist es am einfach-
sten, unter Krüppeln zu leben. Vielleicht hätten wir in
der Endphase des Projekts schon kleine Glocken um den
Hals tragen sollen, ähnlich den Warnschellen, mit denen
im Mittelalter die Aussätzigen auf sich aufmerksam
machten. Einst erschreckten die Leprakranken mit ihrem Zuwenig an Fingern und Zehen, wir sind als erste
auserkoren, mit einem Zuviel zu entsetzen. Irgendwann
reichte unsere Kleidung nicht mehr aus, den Zuwachs zu
kaschieren. Mehr schlecht als recht verbargen wir durch
Haltung und Gang das voreinander, was uns verband.
Und irgendwann gründete unsere Scham auch in einem
Zweck: Dem Team dämmerte, daß vielleicht nicht alle
verwachsen waren.

Letztlich verrieten sich die beiden, die Frau und der
Mann, selbst. Dennoch ist es mein Verdienst, daß es zu
ihrer Entlarvung kam. Ich war es, der auf den Frucht-
schalen ausglitt, die den Boden unserer Halle bedeckten.
Ich stürzte so unglücklich auf den Rücken, daß meine
neuen Glieder beweisen konnten, wie stark durchnervt
sie waren. Nur die zwei Verräter, die Frau und der Mann,
eilten auf meinen Aufschrei herbei, um mir beizustehen.
Sie drehten mich auf den Bauch. Und weil ich noch immer stöhnte, weil meine Hände vergeblich an den Ort
der Schmerzen zu greifen versuchten, entblößten die beiden meinen Rücken.

Wenn das Neue in das alte Licht tritt, dauert es, bis die gewohnten Farben auf ihm haftenbleiben. Das Team starrte mein Fleisch an, als wäre das Sehen die mühsamste und langwierigste unserer Wahrnehmungsweisen. Alle, die doch längst vergleichbare Auswüchse zwischen den Schultern trugen, traten zunächst, in manischer Verlegenheit, von einem Fuß auf den anderen, als zwänge sie ein Fließband, auf der Stelle zu tippeln. Dann begannen die ersten, ungeschickt wie Kinder, die das selbständige Ausziehen noch nicht richtig beherrschen, sich zu entkleiden. Und während sich das Team nach und nach aus Ärmeln und Halsausschnitten kämpfte, begriffen die Verräter, begriff das Paar, daß es auf sich allein gestellt war.

«Schnappt sie euch!» schrie ich, als ich sah, wie sich die beiden Ungeflügelten in Richtung Toiletten davonschlichen. Das Team verstand mich. Und wahrlich, wir waren entschlossen, die beiden Altartigen an Armen und Beinen zu fassen. Wir, die noch Unvollkommenen, jedoch schon Sechsgliedrigen, wir, die Zukunft, hätten Mann wie Frau auf den Leuchttisch geworfen, um sie dort zumindest zu teeren und zu federn – wenn wir sie schon nicht gesund machen konnten.

Aber dem Paar gelang es, mit den Schultern die verriegelte Tür der Damentoilette zu sprengen. Ausgerechnet dorthin haben sie sich geflüchtet. Und jetzt, wo sich endlich auch das Team, von Hemden und Blusen befreit, zum Frauenklo aufmacht, quillt uns aus dessen Türrahmen ein schwefeliger Rauch entgegen. Wir zögern, nehmen uns schließlich an den Händen, und ein langes chorisches Husten schüttelt unsere Schwingen. Himmlisch leicht ist jedem der Leib, während wir Hand in Hand den stinkenden Qualm durchschreiten. Wir sind das gute Team! Summend drängen sich unsere Köpfe in die Tür, und jeder von uns schaut hinunter, sieht die Luke, die sich wie ein Fenster im Fußboden der Toilette aufgetan hat. In die Tiefe sinkt unser Blick, bis auf den Grund, bis in den Ursprung des großen Gebäudes.

Todtenweis

Oh, es ist hohe Zeit, der Vollmond steigt, und unsere süßen Biester schlafen. Die Früchte unserer Ehe ruhen in einem Dreistockbett, die Jüngste, das langersehnte Mädchen, kuschelt sich oben an die Gitterstäbe, der zweite, ein braver Junge, fügt sich in seine Mittellage, und unser Größter, so alt wie unser Ehebund, schnaubt auf der untersten Matratze. Gleich wird das Mondlicht die Ritzen des Rollos durchdringen. Unter dem Wälzen seiner Schläfer gerät das Bett schnell in ein bootsähnliches Schlingern, die Stetigkeit, mit der das Holz dann ächzt und quarrt, versichert uns, wir beide, wir Eheleute, dürfen getrost unsere Zweisamkeit verfolgen. Wieder ist es soweit: Wir reichen uns die Hände und steigen die steile Treppe in das Dachgeschoß hinauf.

Das Reihenhaus, das wir ein halbes Jahr vor unserer Verheiratung bezogen, gehört zur Siedlung Todtenweis, benannt nach einem anthroposophischen Reformbaumeister der Zeit zwischen den Kriegen. Architekt Todtenweis erwarb am damaligen Rand der Stadt eine bankrotte Ziegelei, ließ die Fabrikgebäude abreißen und setzte eine Mustersiedlung auf das quadratische Gelände. Es fanden siebenundzwanzig kleine Häuser Platz. Alle sind schmalbrüstig und doppelstöckig, und alle rekken spitze Giebel. Jedes wurde mit Ziegelmauerwerk, hölzernem Dachstuhl und Dachpfannen aus Ton der

Konvention gemäß errichtet. Wider Erwarten stehen die bescheidenen Häuschen jedoch nicht in Reih und Glied, sondern sie bilden, Schulter an Schulter, eine steinerne Spirale, als hätte sich ein urzeitlicher Riesenwurm in einem letzten Starrkrampf aufgerollt und diese in sich kreisende Verhärtung hinterlassen.

Die vorderen und die hinteren Giebelfenster sind gleichschenklige Dreiecke, so groß, daß sie die Dachböden bei Tag erhellen. Und auch in einer klaren Vollmondnacht wie heute brauchen wir zwei nur abzuwarten, bis unser milchig marmorierter Himmelskörper im richtigen Winkel über der Siedlung steht, und schon durchflutet festliches Licht das Dachgeschoß unseres Häuschens. Bis dahin ziehen wir den Aufstieg in die Länge. Auf jeder Treppenstufe machen wir ein stummes Weilchen halt. Dann hebst du wieder deinen silbernen Schuh. Ich sehe mit Verlegenheit, mit noch verhaltenem Genuß, wie du den Fuß dicht vor dem abgewetzten Holz der nächsten Stufe schweben läßt. Ich sehe, wie sich dank dieses künstlichen Verharrens die größte Außenader deines Rists mit rückgestautem Blut zu füllen beginnt und bläulich durch das Strumpfhosengewebe schimmert.

Die Siedlung Todtenweis steht unter Denkmalschutz. Im letzten Jahr wurden nicht wenige unserer Nachbarn von der Stadt gezwungen, bauliche Veränderungen zurückzunehmen. Der neue Bauamtsleiter, ein kunsthistorisch gutgeschulter und prinzipienfester Mann, besichtigte jedes Haus der Siedlung. Kein zusätzliches Dachlückchen, keine verschönernde Verkleidung mit Kunststoffschindeln, keine praktische Außenleuchte mit

Bewegungsmelder, kein Durchbruch, keine eingezogene Wand entgingen ihm und seiner Liste unerlaubter, weil stilbrechender Neuerungen. Wir beide zitterten, obwohl wir gar nichts umgestaltet hatten, der Überprüfung unseres Dachbodens entgegen. Uns war, als dränge nach all den Jahren doch noch das kalte Auge der Allgemeinheit in den Schonraum unserer Ehe. Aber die Furcht war unbegründet. Den strengen Fachmann interessierte nicht, was wir, mit alten Decken verhängt, dort oben stehen hatten. Er starrte lang in die Verzahnung des Gebälks, prüfte jeden Mauer- und Fensterwinkel und konnte keinerlei Willkür gegen das Überkommene finden.

Den Kindern ist es nicht erlaubt, den Dachboden zu betreten. Jedoch da wir und mit uns unsere Verbote in der Fron des Familienglücks mürbe und anfechtbar geworden sind, brauchte es irgendwann ein Schloß, um diesem Machtwort Geltung zu verschaffen. Inzwischen wären unsere Kleinen, selbst die Kleinste, mutig und pfiffig genug, sich den Schlüssel aus einem Schubladenversteck zu holen. Deshalb hängt er an einem Kettchen unter Hemd und Unterhemd auf meiner Brust. Manchmal ringelt sich eines der krausen Härchen, die mir im Lauf der Ehe immer dichter sprießen, um eine Schlüsselzacke, dann rupft es, und diese Andeutung von Schmerz läßt mich im öden Treiben des Büros oder im Stau auf der Heimfahrt an unsere Vollmondnächte denken.

Der Ankauf des Häuschens hatte den finanziellen Spielraum unserer jungen Ehe kühn überschritten. Die Siedlung Todtenweis war damals schon als schick entdeckt, und allerlei betuchtes Volk begann dorthin zu ziehen. Mittlerweile sind viele der Erstbesitzer, vor allem die Singles und die kinderlosen Paare, wieder weg, haben verkauft oder vermietet. Auf uns hingegen lastet ein Kredit. Für unsere süßen Kleinen müssen wir draußen in der Welt sauer bezahlen. Meine mit Schwung gestartete Karriere hat sich in einem wenig zukunftsträchtigen Bereich der Firma festgelaufen. Dir macht der Haushaltstrott die Fingernägel brüchig. Aber für heute abend hast du sie doppelt gehärtet. Du nimmst einen besonderen Sekundenkleber und legst zwei extralange falsche Nägel aufeinander. Das hält und hilft. Die Kanten dieser schwarzlackierten Sicheln werden erst spät in der Nacht, erst ganz zuletzt zersplittern.

Den Aufstieg in den Dachboden hinauszudehnen schenkt eine Vorfreude, der wir beide bis an die Grenze der Überreizung frönen. Der Tag, den wir mit dem Zubettbringen der Kinder abgeschlossen haben, hat uns so gründlich vernutzt, daß wir, den Kopf voll überhängender Gedanken, gequält von Rückenschmerzen, das untere Drittel unserer Stiege in einer grauen Trance erklimmen. Jedoch am ersten Zwischenpfosten des Geländers werfen wir alle Trübnis und Benommenheit mit unseren Kleidern von uns. Blicke ich nach dem Abstreifen der Unterwäsche hinunter auf die einzig an mir verbliebenen Socken, pendelt der Schlüssel frei vor meiner Brust, bin ich mit einem Schlag von aller Müdigkeit genesen. Du hast in kluger Vorbereitung bereits am Nachmittag unter den Alltagsrock die weiße Spitzenstrumpfhose gezogen, bist aber erst vor unserem Aufstieg in die silbernen Schuhe geschlüpft, die dir noch immer ohne Drükken passen. Mir ist im Lauf der Ehe- und der Arbeitsjahre der linke Fuß so in die Breite abgesunken, daß ich die frischpolierten schwarzen Slipper lieber in der Hand nach oben trage. Oben, im Festraum, wo sie im Mondlicht wie damals glänzen werden, ziehe ich sie an. Dort bin ich dann so hochgestimmt, daß ich den Druckschmerz im linken kleinen Zeh als zarten Seitentrieb der Lust genießen werde.

Architekt Todtenweis sah die Bewohner seiner Mustersiedlung, wie es der damaligen Zeit gefiel, als bienenhaft Verbundene und zugleich als autarke Eigenbrötler. Die Gärten im Inneren der Häuserspirale wurden durch schulterhohe Mäuerchen säuberlich voneinander separiert. Ein jeder Grünstreifen erhielt ein zierliches Gewächshäuslein und einen Stall für die Kaninchen. Andererseits rückten die Urbewohner in einer Ortsgruppe des Reichsnaturheilbundes, in einer Tanz- und Freikörperkulturgemeinschaft, als Kleintierzüchter und als Reformköstler zum Kollektiv zusammen. Wir und zwei andere Ehepaare gründeten nach unserem Einzug einen Elternverein, um den von Unkraut überwachsenen Spielplatz der Siedlung instand zu setzen. Unsere Kleinste klettert heute in der Holzburg, deren Palisaden wir eigenhändig in frischem Sand versenkten. Auch diese Nacht werden wir den höchsten Spielturm über die Obstbäume unseres Gartens ragen sehen. Wir lieben es, in einer der Pausen, die sich im Festverlauf ergeben, ans Fensterkreuz gelehnt zu stehen. Im Sommer, wenn das Dach die Hitze des Tages speichert, läuft mir der Schweiß über Stirn und Schläfen. Der Dachstuhl riecht nach Harz. Und du leckst mir den einen oder anderen Tropfen aus den Augenbrauen.

Obwohl ich bis auf Socken, Schlüssel und die an meine linke Hüfte gepreßten Schuhe nackt bin, obwohl dir der Strumpfhosengummi tief ins bloße Bäuchlein schneidet, heben wir auf dem Mittelstück der Treppe unsere Knie so feierlich und formbewußt, als gelte es, den Ansprüchen eines Zeremonienmeisters zu genügen. Ein alter Freund, das letzte personelle Überbleibsel meiner Studienzeit, dereinst mein Trauzeuge und seit langem mein Kollege, meinte vor kurzem, er kenne kein zweites Paar, das seine Ehe und die Aufzucht seiner Kinder vergleichbar nüchtern, so ohne jede Klage und ohne jede schrille Jubelei, über die Bühnen des gesellschaftlichen Umgangs bringe. Er sprach von uns als idealen Generalen, die alle Niederlagen im Krieg mit dieser Welt wie harmlose Manöverpannen überständen. So redet einer, der blind vor Freundschaft ist. So radebrecht die Torheit eines Junggesellen. Ich lächle und hebe die Nase noch ein paar stolze Grade höher. Wie immer, wenn das letzte Treppendrittel naht, schärft sich das Geruchsempfinden. Die Parfümierung des Haarsprays, das deine Festfrisur zwei Handbreit über Alltagshöhe hält, macht mich schwindeln.

Das kleine Denkmal, das unsere Stadtverwaltung vor fünf Jahren im Schneckeninneren der Siedlung aufstellen ließ und das, wenn sich der Tod des Architekten jährt, ein Kränzchen des Bürgermeisters schmückt, wurde in diesem Sommer zweimal geschändet. Die Täter übergossen die Bronzebüste des Reformbaumeisters mit roter Farbe und pinselten ein unflätiges Wort unter die Lebensdaten auf den Sockel. Dies Wort, das den Verstorbenen schmäht, ist so bösartig gegen das herrschende Gutmeinen gerichtet, daß unsere Regionalzeitung vermied, es zu zitieren. Sogar unser ansonsten nach allen Unanständigkeiten lüsternes Lokalfernsehen zeigte allein die besudelte Büste und sparte das im selben Rot geschmierte Schimpfwort aus allen Bildern aus. Vorigen Monat, nach dem zweiten Anschlag, wurde das Denkmal mit einem Schutzgitter umgeben, und Halogenscheinwerfer beleuchten es seitdem bei Nacht.

Das letzte Treppenviertel verführt mich, ärger als je zuvor, zur Hast. Für mich gilt nicht, daß alle Feste mit fortgeschrittenem Lebensalter gelassener begangen werden. Im Gegenteil: Seit unserem Hochzeitstag ist meine Fiebrigkeit von Jahr zu Jahr um fühlbare Quentchen angewachsen. Zu diesem Hitzigerwerden gehört in rätselhafter Äquivalenz eine minimale, aber nicht zu bezweifelnde Zunahme der Treppensteigung. Am Ende unserer Zeit, wenn wir die Stufen in einer letzten Vollmondnacht bezwingen, wird sich der Winkel so sehr der Senkrechten angenähert haben, daß wir uns nicht mehr bei den Händen halten können, weil wir die Treppe, die Fingernägel in ihr Holz gekrallt, auf allen vieren überwinden. Indes, bis dahin hat es noch eine gute Weile; noch wahren wir die Form des allerersten Aufstiegs und stehen aufrecht vor der erreichten Tür. Du drehst das Vorhängeschloß so nach oben, daß ich den Schlüssel, ohne das Kettchen über meinen Scheitel zerren zu müssen, einführen kann. Die Tür zum Dachboden steht offen. Mondlicht strömt auf uns zu. Ich hänge das Schloß nach innen, um unseren Festraum nun von der anderen Seite gegen Störungen zu sichern.

Die Denkmalsschänder spielten durch das Schimpfwort, das sie verwendeten, auf ein Gerücht an, auf eine sich im Dunstkreis unserer Siedlung seit siebzig Jahren von Mund zu Mund erneuernde Geschichte. Uns wurde, kaum waren wir eingezogen, von unserer alten Nachbarin die Mär erzählt. Zwischen den beiden großen Kriegen habe sich Todtenweis aus Afrika, von einer Reise an die Südspitze des Kontinents, ein Waisenkind nach Hause mitgebracht. Der Knabe, angeblich vom Stamm der Hottentotten, sei ihm als Hausboy in der Villa vor der Stadt zur Hand gegangen. Dort draußen pflegte der Architekt sein legendäres Sommervollmondfest zu feiern. Varieté-Stars, schmelzkehlige Sänger, verruchte Ausdruckstänzerinnen, ganze Theatergruppen ließ Todtenweis aus der Hauptstadt des damaligen Reichs und sogar aus dem Ausland kommen. Beim letzten Fest, so sagt es das Gerücht, hätten tausend Fackeln die zentrale Wiese des Parks taghell erleuchtet. Um Mitternacht sei gar ein Zeppelin gelandet, aus dem eine berühmte Liliputaner-Truppe auf den Rasen gepurzelt sei. Es war dann nicht der Auftritt dieser als biologisch minderwertig eingestuften Künstler, mit dem sich der bis dahin auch bei den Nazis angesehene Architekt die Gunst des anwesenden Gauleiters verscherzte, sondern der Vorwurf sogenannter Rassenschande, der Todtenweis zwingen sollte, bei Nacht und Nebel über die nahe Grenze zu fliehen. Auf dem besagten Fest waren der Gastgeber und der zum Jüngling herangewachsene Afrikaner als ein Paar erschienen: der Architekt im selbstentworfenen weißen Frack, sein dunkler Freund in einem langen, kühn rükkendekolletierten Abendkleid aus schwarzer Spitze. Dafür mußten die beiden den ganzen Weltkrieg im Exil am Genfer See verbringen.

Die Tafel, die unseren Dachboden fast in gesamter Länge durchläuft, war Schauplatz unseres Hochzeitsessens. Am Tag unserer Verheiratung war sie im Garten aufgebaut. Fünf Küchentische sind so verschraubt, daß sie auch starke Erschütterungen nicht auseinanderdriften lassen. Zudem geht über alle Platten eine einzige Bahn aus dickem Filz, die die Kantensprünge polstert. Auf Stühle haben wir, wie auch auf manches andere, verzichtet. Die Phantasie, die uns die Gäste schafft, kann auch die Einbildung der Teller und Gabeln übernehmen. Allein die kleine Haushaltsleiter ist vonnöten. Auf deinen Wunsch habe ich unseren Hochzeitstisch, das laufsteglange Rechteck, mit bestem Stacheldraht umzäunt. Jetzt hebst du deinen Silberschuh mit graziöser Vorsicht über die scharfen Spitzen.

Bereits im ersten Friedenssommer kam Architekt Todtenweis auf Besuch nach Deutschland. Die letzte Urbewohnerin der Siedlung, unsere Nachbarin zur Rechten, hat dir und mir erzählt, wie sie das schwere, ihr aus der Vorkriegszeit noch gut bekannte Cabriolet durch den gekrümmten Weg der Siedlung rollen sah. Architekt Todtenweis habe sein Werk völlig unbeschädigt vorgefunden. Keines der siebenundzwanzig Häuschen hatte bei den Luftangriffen auf die Stadt auch nur ein Fensterglas verloren. In den Dachböden waren Flüchtlinge einquartiert, und jeder Garten wurde bis auf das letzte Eckchen als Kartoffelacker genutzt. Vor Alten, Frauen, Kindern kletterte Todtenweis im Schneckeninneren der Siedlung auf die Motorhaube seines Wagens, sein schwarzer Gefährte stützte seinen Stand. Mit sachlichem, im Unterschwange aber warmem Ton begann er eine Rede, versprach Hilfe verschiedener Art, hatte gerade seine guten Kontakte zu den Besatzungsbehörden angedeutet, als eine Unverbesserliche, eine junge Kriegerwitwe, über die Köpfe der Versammelten hinweg ein unsittliches Schimpfwort rief. Unserer Nachbarin schossen die Tränen in die Augen, als sie uns Neusiedlern erzählen mußte, mit welch gemeinem Ausdruck der Architekt damals beleidigt worden war.

Wir beide zweifeln nicht daran, daß diese rührselige Greisin, die übers ganze Jahr hinweg für Blumenschmuck am Denkmal sorgt, identisch ist mit der, die sie, Jahrzehnte später, denunziert. Wir raten den Kindern, ihr möglichst nichts von unserem Familienleben preiszugeben. Die Alte sitzt den ganzen Tag am Fenster oder lauert im Garten auf eines unserer Lebenszeichen. Im Sommer überhäuft sie uns mit selbstgezogenem Gemüse, riesig und ohne Schneckenfraß, bringt uns im Herbst zwei schwere, von ihrer Hand erschlagene Stallkaninchen. So bleibt sie gegenwärtig. Auch jetzt, wo wir über die Tischdecke, über den jeden Laut schluckenden Filz der Tafel schreiten, muß ich die Angstvision ertragen, daß unsere Nachbarin, Ursiedlerin und kinderlose Witwe, drüben in ihrem Dachboden das Ohr ans doppelte, vielleicht doch schwingungsträchtige Gemäuer legt. Du seufzt – gewiß denkst du das gleiche – und schiebst dir dann das auf dem Tisch bereitliegende Kränzlein übers Haar. Aus unserem unerschöpflich großen Vorrat an getrockneten Hochzeitsblumen hast du es heute morgen frisch geflochten.

Architekt Todtenweis war, ungeachtet der erlittenen Schmähung, entschlossen, an die Stätte seines Wirkens zurückzukehren. Die Siedlung habe ihm, so sagt man heute, im Schweizer Exil wie ein besonders liebes Kind gefehlt. Jedoch, erneut am Genfer See, wurde er mitten in der Umzugsvorbereitung von einem mysteriösen Virus, der sich aus Langmut oder Tücke Zeit mit der Vermehrung läßt, aufs Bett geworfen und so rapid geschwächt, daß die geplante Heimkehr für immer unterblieb. Mit dem Versterben des Reformbaumeisters endet die Erzählung des Gerüchts; von jenem schwarzen Lebenszeitbegleiter ist im Gerede unserer Nachbarin kein Weiterexistieren und kein Tod berichtet. Wir sinken in die Knie. Der Stacheldraht, der unser Hochzeitslager schützt, ist vernickelt. Im Mondlicht, das wie Milch durchs Fenster fließt, könnte die hochwertige Eisenware den Vergleich mit bestem Tafelsilber leicht bestehen. Und auch die Laken schimmern wie veredelt. Ihr Weiß werden wir beide, wie es das Fest verlangt, mit Schweiß, mit fettiger Frisiercreme, mit Speichel, mit Lippenstift und mit dem Schwarz der Schuhcreme zu entweihen wissen.

Die Farbe auf dem Todtenweisschen Denkmalsockel wurde mit Lösungsmitteln und einem Hochdruckreiniger entfernt, aber eine feine rote Spur blieb in den Poren des Granits. Und wenn das Licht ungünstig fällt, mag jeder, der lesen kann, das Schmähwort ohne große Müh entziffern. Selbst unsere Kleine, die das Buchstabieren erst nächstes Jahr erlernen wird, hat schon davon gehört und es in das bescheidene Arsenal ihrer Beschimpfungsmöglichkeiten aufgenommen. Vielleicht sind Mann und Frau als Eltern niemals streng genug. Oder es fehlt im rechten Augenblick die Kraft, um einen Bannkreis um das Häßliche zu ziehen. Schon hören wir die nackten Füßchen auf der Treppe trippeln. Sie kommen alle drei. Es ist soweit. Es ist so weit gekommen: Sie haben uns ertappt. Unsere Süßen hämmern mit sechs Fäusten an die Tür. Schnell finden sie in einen Takt. Das Mondlicht gar zuckt unter ihrem starken Schlag zusammen. Wir lassen voneinander. Wir lauschen dem ungeheuren Getrommel unserer Kinder. Wir lauschen ihrem köstlichen Geschrei. Sie rufen uns. Sie schmähen uns, weil sie uns lieben, weil sie uns nie entbehren wollen. Die Kleinste, die nicht wissen kann, wer einst die Hottentotten waren, daß Weiße Schwarzen diesen Namen aufgezwungen haben, kräht jenes alte Schimpfwort. Gierig fallen ihre Brüder in den Rhythmus der sechs Silben. Wir senken unseren Blick, wir beugen uns dem Chor, der, ohne die hergekommene Bedeutung von Hottentottenficker zu verstehen, den hohen Sinn unseres Vollmondfestes biestig richtig deutet.

Alles

Kontrolle ist in der Praxis alles; die Theorie totaler Übersicht jedoch bleibt schierer Irrsinn, auch wenn de facto alle daran leiden. Seit Montag morgen ist SU 1 für den Passantenverkehr geöffnet. Der Regierende Bürgermeister höchstpersönlich zerschnitt das Band. Die kleine Bläser-Combo des Bundesgrenzschutzkommandos Hauptstadt intonierte ‹Das ist die Berliner Luft›. Und für uns begann nach einwöchigem Probelauf die erste Realschicht.

Wir arbeiten dreimal acht Stunden; SU 1 ist rund um die Uhr zugänglich. Unsere Operationsbasis sind vier Büro-Container am Eingang Ost. Bis die Renovierung des Hauptbahnhofs abgeschlossen ist, werden wir so hausen und uns in mancher Hinsicht mit Improvisation behelfen müssen. Bereits gestern, am zweiten Tag, bekamen wir einen kleinen Vorgeschmack des Möglichen. Ein simpler Platzregen setzte in Container eins den Video-Überwachungsraum unter Wasser und ließ alle Monitore erlöschen. Zum Glück stand der Schichtwechsel an, so daß wir während der Reparaturzeit mit doppelter Besetzung operieren konnten. Es fiel nichts Gravierendes vor. Im linken, dem etwas kürzeren der beiden Nordtunnel wurde ein Putzmann niedergestochen, aber beizeiten von unserer Hundestaffel entdeckt und aus seiner Blutlache über den S-Bahn-Aufzug an einen Rettungswagen verbracht.

Mit SU 1 ist die erste der drei großen Schmetterlings-unterführungen des Hauptbahnhofs in Betrieb. Die beiden anderen Unterführungen können aus bautechnischen Gründen erst kurz vor der Wiedereröffnung des dann von Grund auf renovierten Bahnhofs fertiggestellt werden. SU 1 umfaßt vier Haupteinlässe mit Doppelrolltreppen, acht endverzweigte Zubringertunnels zu U-, S- und Fernbahn, eine doppelgeschossige Zentralhalle und fünf zu Einkaufspassagen erweiterte Tunnelabschnitte, die sogenannten Glasfallen. Für den gesamten Komplex stehen mir pro Schicht neun Mann zur Verfügung. Unsere Klienten, die durchlaufenden Leute, das Tunnelvolk, haben uns trotz unserer neuen knallroten Uniformen sofort wie etwas Selbstverständliches akzeptiert. Man sieht und übersieht uns. Man nimmt uns als ein Organ von SU 1, und jeder Mann ist von mir unter vier Augen angehalten worden, sich in kollektivem Stolz mit diesem Organ-Status zu bescheiden.

Im Rahmen des Dienstes liebe ich meine Männer wie ein Vater; dennoch mußte ich heute morgen das erste ERSUCHEN UM FRISTLOSE DIENSTBEENDIGUNG an die Zentrale faxen. Der zur Entlassung Empfohlene, ein junger, zweifellos fähiger Wachmann, erfolgreicher Kampfsportler und eigentlich auch mental stabil, flehte, Tränen in den Augen, um eine zweite Chance. Aber ich schlug ihm seine Bitte schweren Herzens ab. Bei Schichtbeginn hatte ich ihn auf dem Container-Klo ertappt. Was sollen wir mit einem Raucher anfangen. Wer rauchen muß, will irgendwann unter freiem Himmel rauchen. Dann wird jeder der 27 Aufzüge von SU 1 zu einer himmlischen Versuchung, und ein verständnisvoller Kollege, der beide Augen zudrückt, findet sich dann schon. Raucher, Trinker und Liebespaare sind die natürlichen Bruchstellen jeder Sicherungstruppe. Daß sie auftreten, kann nicht verhindert werden. Sie zu dulden käme jedoch einer schleichenden Selbstaufgabe gleich.

Der Wachmann, den ich heute morgen vom Dienst suspendierte, hatte die Bildchenmacher gestern aufgespürt. Das Delikt, mit dem wir damit praktisch konfrontiert sind, ist mir aus der Theorie längst ein Begriff. Auf der letzten Objektleiterschulung, einem dreitägigen Krisen-Crash-Kurs in Frankfurt, wurden derartige Probleme durchgespielt. Es handelt sich um den äußerst sensiblen Grenzbereich von Medienmißbrauch und Jugendprostitution. Niemand will sich an diesen heiklen Fällen die Finger verbrennen, am allerwenigsten unsere gute alte Polizei. Natürlich liegen diverse Kinder- und Jugendschutzvereine auf der Lauer, um sich eilfertig einzumischen. Aber wer sich mit solchen Krisen-Schmarotzern einläßt, gießt Öl ins Feuer. Wir müssen SU 1 mit unseren ureigenen Mitteln von den Bildchenmachern befreien. Wie immer werden wir versuchen, die beiden Hauptsicherungsstrategien parallel zu nutzen: die OBERSERVATIVE PRÄSENZ und den POSITIVEN TERROR.

Ich denke nicht daran, Zeit zu verlieren. Ich trage Zivilkleidung und Camcorder in die Rubrik ‹Außerordentliche Hilfsmittel› unserer elektronischen Tageskladde ein und mache mich mit dem dicken Michalsky auf den Weg. Michalsky ist kein großes Licht, aber seine rosigen

Wurstfinger wissen traumwandlerisch sicher mit dem Mini-Camcorder umzugehen. Das Aktionsfeld der Bildchenmacher liegt am Rand der unteren Halle. Der Haupttunnel Richtung Fernbahnhof verbreitert sich hier zur größten der fünf Einkaufspassagen. Eine klassische Glasfalle. Eine Gefahrenkonstellation wie aus dem Lehrbuch für Anlagenschutz. Jede der kleinen Boutiquen, jedes der verwinkelten Lädchen hat mindestens zwei Eingänge. Ein Labyrinth aus schlecht einsehbaren Verkaufsgassen, durch Außenware zusätzlich verengt. An der Decke sollen polierte Aluplatten Höhe suggerieren, in den Geschäften täuschen hochformatige Glasspiegel Durchgänge und Tiefe vor. Als ebenso fatal erweisen sich, wenn Übersicht gebraucht wird, die Umkleidekabinen der Boutiquen, die winzigen, nur kabuffartigen Warenlager, die Verschläge für Minitresore, Kühlschränke und Kaffeemaschinen. Erst diesen Frühling, im wiedereröffneten Leipziger Hauptbahnhof, beim bislang letzten deutschen Glasfallenmassaker, robbten Wachmänner und Polizisten im Slalom durch eine vergleichbare Passage, vergeblich nach einem Streifen Schußfeld spähend. Der Täter, ein depressiver Frührentner, nur mit einem Kleinkalibergewehr bewaffnet, brachte es auf stolze elf Verletzte und fünf Tote, bevor er sich ins Auge schoß und damit, rein rechnerisch, sogar noch das halbe Dutzend vollmachte.

Die Pächterin der Boutique ‹Chez Elfie› erwartet uns. Eine geschwätzige Frau zwischen vierzig und fünfzig, also im hoffnungslosesten Alter. Ihre Mundwinkel zukken asymmetrisch, als sie mir und Michalsky die Hand schüttelt. Sie läßt sich nicht anmerken, wie sehr ihr unser Vorhaben gegen den Strich geht. Sie muß sich mit dem Sicherheitsdienst gutstellen. Ihr Geschäft gehört zu einer Kette. Material und Technik liefert das Mutterunternehmen. Die Pächter wirtschaften auf eigenes Risiko. Das Herzstück des Ladens ist ein pastellfarbener Laserdrucker. Frau Elfie bedruckt T-Shirts. Aus verschiedenen Katalogen können die Kunden Motive auswählen, oder sie bringen selbst Fotos mit. Frau Elfie hat mir am Telefon erzählt, daß Horrorbilder im Katalogverkauf ganz vorne lägen: Vampire, Skelette, Zombies. Bei den mitgebrachten Vorlagen seien hingegen Kleinkindporträts und Mutter-Säugling-Motive die absoluten Favoriten.

Wir verstecken uns in der Lagerkammer des Ladens. Den knappen Quadratmeter müssen ich und Michalsky uns mit hochgestapelten T-Shirt-Packen, einem Staubsauger und einem Trockenklo teilen. Solche Privattoiletten sind den Ladenpächtern vertraglich untersagt. Aber jetzt geht es um Wichtigeres, und wir sind froh, zumindest eine Sitzgelegenheit in unserem Versteck zu haben. Wie in vielen Läden besteht die Tür des Verschlags aus einem sogenannten Schlauen Onkel, aus einem zum Verkaufsraum hin durchsichtigen Spiegel. Auf Bestellung besetzt eine Detektei, die sich auf Kaufhaus- und Passagen-Service spezialisiert hat, diese Beobachtungsposten stundenweise mit ihren Angestellten. Frau Elfie sagt, daß sie selbst auf ihre T-Shirts aufpassen könne. Daran zweifele ich nicht, und genauso zweifelsfrei steht fest, daß sie das Treiben der Bildchenmacher beobach-

172

tet, verstanden und des lieben Geschäftsfriedens wegen
geduldet hat.

Wir warten. Der Camcorder ist auf sein dünnbeiniges
Stativ montiert. Michalsky bietet mir eine halbe Stulle
an. Ich nehme sie, obwohl ich keinen Kochschinken mag.
Kollegialität ist Trumpf im Sicherheitswesen. Der stren-
ge Desinfektionsduft aus Frau Elfies Trockenklo wird
mir das Hinunterschlingen des süßlichen Schinkens erleichtern. Aber kaum habe ich das zweite Mal abgebis-
sen, sind die drei Bildchenmacher da. Sie sehen aus, wie
sie mir der gekündigte Kollege beschrieben hat. Bestimmt kommen sie aus dem ZENTRUM FÜR ÜBER-
BRÜCKENDE AUSBILDUNGSFÖRDENDE MASS-
NAHMEN, das die Blindheit der Schulplanung direkt
neben den Hauptbahnhof gelegt hat. Wahrscheinlich haben diese Halbwüchsigen heute vormittag getischlert,
getöpfert oder mit umgeschulten Germanisten das um-
weltgerechte Flicken von Mountainbike-Schläuchen ge-
übt.

Der Große, dem die zwei Kleinen folgen wie Pilot-
fische, könnte mit Ach und Krach volljährig sein. Die
beiden anderen sind höchstens sechzehn. Der Anführer
hat frische Fotos in den Händen, er hält die Bilder an
den Ecken und wedelt mit ihnen durch die Luft, um sie
vollends abtrocknen zu lassen. Sie stammen aus dem
Porträt- und Paßbildautomaten um die Ecke. In dessen
Kabine haben die beiden Jüngeren die Hosen herunter-
gelassen. Jetzt sollen die Schmutzbilder auf T-Shirts ge-
druckt werden. Unser findiger Exkollege hat den gesamten Produktions- und Vertriebsprozeß observiert. Von

jedem Motiv werden mehrere T-Shirts gezogen. Ein Exemplar stülpt sich der Abgelichtete zu Werbezwecken über, dann geht es auf Verkaufstour. Instinktsicher spähen die Jungs potentielle Käufer aus, steuern sie an und klappen vor ihnen die Jacken auf. So präsentieren sie sich ihren Kunden doppelt: in Echtfleisch und in die zweite Dimension vermittelt. Gestern hatten sie in einer halben Stunde alles verkauft.

Die Bildchenmacher haben sich getrennt. Nun heißt es umdenken. Die beiden Kleinen sind zu ihrer Verkaufstour aufgebrochen. Der Große hat sich ein paar Horror-T-Shirts zur Anprobe in die Umkleidekabine mitgenommen. Ich schicke Michalsky samt Camcorder hinter den Jungen her. Video-Belege sind Gold wert, aber wenn alles nach Plan läuft, werden wir das Bildmaterial in diesem Fall nicht brauchen. Mir fällt der Anführer der Bande zu. Die Theorie des Positiven Terrors ist aus der Praxis geboren. Sie stammt aus der erfolgreichen Befriedung der Stadtparks von Los Angeles. In Fragen der Sicherheit können wir viel von den Amis lernen. Positiver Terror bedeutet Denkanstöße geben, Denkanstöße, denen der negative Klient nicht in gewohnter Weise ausweichen kann.

Ich ziehe den Reißverschluß meiner Lederjacke auf und rücke mein Achselhalfter, so weit es geht, nach vorne. Es wird wichtig sein, daß er den schwarzen, gerippten Knauf gut sehen kann. Meine Männer sind mit Gaspistolen und Schlagstöcken ausgerüstet. Nur der Objektleiter, nur ich, darf eine scharfe Waffe führen. Es ist die HECKLER & KOCH MEGA, die im Auftrag der

Stadtpolizei von Singapur entwickelt und bislang ausschließlich in die malaiische Metropole exportiert wurde. Im europäischen Raum gibt es Hemmungen gegen Kaliber dieser Größe. So kommt es, daß die mächtigste Handfeuerwaffe deutscher Produktion erst durch uns in heimischen Gefilden die verdiente Anerkennung fand.

Ich verlasse mein Versteck und bin mit drei Schritten am Vorhang der Umkleidekabine. Ich komme im bestmöglichen Moment: Der Anführer der Bildchenmacher zieht sich gerade ein T-Shirt über den Kopf. Ich trete ihn in den nackten Bauch und schlage dem mir Entgegenkippenden mit der Faust ins Genick. Ein Kniestoß an die Brust läßt ihn wieder nach hinten, an die Rückwand der Kabine, krachen. Er japst nach Luft und starrt mich, noch nichts verstehend, an. Positiver Terror verfolgt einen ganzheitlichen Ansatz und will alle Sinne ansprechen. Wer gefühlt und gesehen hat, wer sein Blut im Mund schmeckt und den eigenen Angstschweiß riecht, kann die verbale Botschaft besser aufnehmen. Ich werde dem negativen Klienten eine kleine Rede halten.

Ich habe meine Rede nicht gehalten. Es ist ganz anders gekommen. Aber durch das Mißgeschick, das mir widerfahren ist, durch die Misere, in der ich augenblicklich stecke, wird das Konzept des Positiven Terrors nicht grundsätzlich in Frage gestellt. Die Wirrnisse der Praxis können im Ausnahmefall die besten Einzelstrategien ad absurdum führen. Dies zu wissen und mitzubedenken ist selbstverständlicher Bestandteil einer Planung, die um stete Kontrolle bemüht ist. Ich atme durch. Die Finger meiner rechten Hand schwitzen auf dem Knauf der Mega, die unverändert tief im Achselhalfter sitzt. Sie ist durch einen plombierten Draht mit der Metallschiene der Pistolentasche verbunden. Wenn ich die Waffe ziehe und die Plombe zerreiße, darf ich morgen, in aller Herrgottsfrühe, beim Regionalleiter zum mündlichen Rapport antreten.

Draußen vor der Umkleidekabine herrscht inzwischen ein ungeheurer Betrieb. Der Vorhang klafft einen Spalt weit auf, und ich sehe, daß Frau Elfie alle Hände voll zu tun hat. Fast ein Dutzend ausländischer Mädchen drängt sich um den Laser-Kopierer. Sie lachen und reden durcheinander. Japanerinnen sind es nicht, auch keine Chinesinnen. Vielleicht hat es sie aus der unüberschaubaren Inselwelt Indonesiens bis in unsere Hauptstadt verschlagen. Wenn es jetzt zum Schlimmsten käme, käme es zu einem Blutbad. Der Laden ist klein. Keines der Mädchen ist weiter als sechs Meter von der Umkleidekabine entfernt. Keines wäre gegen die Splitter geschützt. Nur Frau Elfie steht einigermaßen günstig im toten Winkel hinter der Kasse.

Was der Junge da in beiden Händen hält, zieht meinen Blick an, aber ich versuche weiterhin, sein Gesicht und nicht das Ding in seinen Fingern zu fixieren. Er liegt mit nacktem Oberkörper auf dem Boden, das halbangezogene T-Shirt um den Hals. Noch immer läuft ihm frisches Blut aus der Nase. In unserem Aufenthaltscontainer hängen drei Informationsplakate der Polizei. Sie zeigen die wichtigsten Waffen, die aus den Arsenalen der ehemaligen Warschauer-Pakt-Staaten in den deutschen

Schwarzhandel gelangt sind. Natürlich ist nicht sicher, daß das Ding in den Fingern des Jungen scharf ist. Es gibt auch Übungshandgranaten desselben Typs. So, wie er jetzt daliegt, mit rotz-, blut- und tränenverschmiertem Gesicht, scheint mir der Anführer der Bildchenmacher doch deutlich unter achtzehn zu sein.

Er bewegt die Hände. Er schiebt sie, ohne die Handgranate aus den Fingern zu lassen, über seine rechte Hosentasche. So schafft er es, seine Zigaretten herauszuziehen. In der Packung ist ein Gasfeuerzeug. Es gelingt ihm, sich eine Zigarette zwischen die Lippen zu stecken und sie anzuzünden, während der rechte Zeigefinger in den Abzugsring gefädelt bleibt. Wille und Feinmotorik arbeiten tadellos zusammen, und obwohl seine Augen weiterhin weinen, obwohl seine Nase weiter blutet, schneidet er eine triumphierende Grimasse. Oh, ich verstehe ihn, ich sehe sein stolzes Paffen nicht ohne Mitgefühl, ich stimme ihm auf allgemeiner Ebene zu: Kontrolle ist in der Praxis alles, auch wenn die Theorie totaler Übersicht der Irrsinn bleibt, an dem wir alle leiden.

Von den Deutschen

Wir hier im Schutzgebiet, wir lieben die Deutschen. Obwohl auch die Russen, die kurz vor den Deutschen bei uns eintrafen, wahrlich gute Kerle sind. Als die russischen Soldaten an Ostern in der zerstörten Kapelle gesungen haben, wem hätten da nicht die Tränen in den Augen gestanden. Jedoch über das Jahr hinweg, in dem knappen Jahr, seit der Krieg vorbei ist, sind unserem Herzen die Deutschen, auch wenn sie nicht so schön singen können, ein inniges Stückchen nähergerückt.

Alle loben die Amerikaner, weil sie mit hundert Hubschraubern über den Nordkamm gedonnert kamen und für den ersten wackligen Frieden sorgten. Aber malt sich einer aus, wie sich das letzte ledige Töchterchen, die Schielende, die mit dem leider Gottes unübersehbaren Buckelchen, an einen ausländischen Soldaten verheiraten ließe, wen wünscht er sich in seinen süßesten Träumen als Schwiegersohn: keinen dieser prächtigen Neger, die im Fernsehen die Goldmedaillen und hier im Tal das Lachen der Kinder gewinnen. Nein, kein Amerikaner, ein Deutscher soll die Bucklige glücklich machen.

Riesengroß ist deshalb die Aufregung gewesen, als es Anfang der Woche hieß, die Deutschen hätten einen Mann verloren. Den Amerikanern war noch am Tag nach dem Waffenstillstand ein stattlicher rothaariger Offizier, die weiße Fahne des Parlamentärs in der Hand, von einem Heckenschützen totgeschossen worden. Und im Frühling – der Frieden zählte schon fünf Wochen – wurden zwei blutjunge Russen von einem der eigenen Panzer erdrückt, als der oben am Birkenwäldchen den Abhang ins Kiesbett der Druschka hinunterrutschte. Jetzt hätten also die deutschen Soldaten ihren Blutzoll bezahlt, und ausgerechnet den Kleinen habe es erwischt, den kleinen Blonden, den man im ganzen Tal voll Bewunderung ‹die deutsche Nase› nennt.

Zuerst wurde gemunkelt, er sei auf eine Mine getreten, auf eine überempfindliche Panzermine, die ihn in so winzige Fetzen zerrissen habe, daß nichts mehr von ihm zu entdecken sei. Aber das ist Unsinn, keiner hat einen Knall gehört, und bei uns haben alle, sogar unser tauber Priester, hervorragende Ohren. Am zweiten Tag kam das Gerücht auf, der Kleine habe eine Geröllawine ausgelöst, als er in der Schlucht herumgeklettert sei, und Steine und Lehm hätten seine schmale Brust und sein blondes Köpfchen begraben. Deshalb haben die Deutschen, bereits am Tag darauf, Gebirgsjäger eingeflogen und kluge, treuäugige Hunde, die in der ausgetrockneten Druschka herumschnüffeln mußten. Aber selbst die spürten ihn nicht auf.

Da sagte sich am vierten Tag unser Girko, das alte Schlitzohr: Girko, pack die Gelegenheit beim Schopf! Deine Nichte ist nicht deine Tochter, doch das einzige Kind deines einzigen Bruders. Deinen Bruder hat der Krieg gefressen und der Krebs deine Schwägerin. Also trägst du, der Onkel, die Verantwortung. Dein Bruderkind schielt nicht, und auch von einem Buckel ist nicht das geringste zu sehen, aber sie ist die eigensinnigste Person, die man sich denken kann. Am dreißigsten August ist sie dreißig Jahre alt geworden. Mit einem Hiesigen wirst du sie nicht mehr ins Ehebett bringen. Ein Deutscher aber, der könnte ihre Unruhe stillen, die Deutschen sind berühmt für ihre Beharrlichkeit in allen Dingen. Geh los! sagte sich unser schlauer Girko, finde du den verlorenen Deutschen, dann wird sich, mit Gottes Hilfe, auch ein Deutscher für deine störrische Nichte finden.

Wir sind nur ein Völkchen. Wir passen in eine Handvoll enger Täler, und ein richtig großes Durcheinander läßt sich nicht einmal in unseren Köpfen anrichten. Bei uns weiß ein jeder, was er will. Schon vor Morgengrauen ging Girko ins Dorf zu den amerikanischen Sanitätern und ließ sich sein böses Knie, das rechte, gut einbandagieren. In Amerika haben sie wunderbare Binden erfunden. Stramm und elastisch halten sie das Lädierte zusammen, ohne das Blut abzuschnüren. Und hätte einer von uns den frisch bandagierten Girko gesehen, wie der im ersten trüben Morgenlicht das Flußbett hinaufstieg, er hätte gerufen: Was ist nur mit dem lahmen Alten los? Unser Girko klettert ja wieder wie ein Junger! Den muß heute nacht eine Hexe geritten haben!

So abergläubisch sind unsere Leute. Damals, als der kleine blonde Deutsche mit seiner Arbeit begonnen hatte, war ihm von unserem Bürgermeister ein Hahn mit auf den Weg gegeben worden, und dazu das Bürgermeistersöhnchen, den jeder nur Holzkopf ruft. Der Holzkopf sollte dem Hahn oben im ausgetrockneten Bett der

180

Druschka den Hals abschneiden. Denn man sagt, wo das Hühnerblut hinspritzt, muß man nach Wasser graben. Der kleine Blonde behielt die beiden eine Woche lang bei sich. Der Hahn durfte leben bleiben, und den Sohn des Bürgermeisters, der wirklich kein großes Licht ist, ließ er an den Knöpfen der Suchgeräte drehen, obwohl die bestimmt ein Vermögen gekostet hatten. So sind die Deutschen: geduldig und großzügig und frei von Hochmut, sogar wenn sie Grund hätten, hochmütig zu sein.

Als Girko bei seinem Aufstieg am neuen Brunnen vorbeikam, wurde der Nebel über den Tannen schon lichter, und erste Sonnenstrahlen gaben den taunassen Steinen Glanz. Nachdem der kleine Deutsche hier Wasser gefunden hatte, mußte zunächst ein Jeep mit Kanistern zwischen dem frisch gebohrten Brunnen und dem Marktplatz pendeln. So lange, bis uns von den russischen Pionieren eine Leitung hinuntergelegt worden war, eine gewaltige Wasserleitung aus ungetüm dicken Rohren. Alles, was die Russen hier bei uns gebaut haben, ist ein wenig zu groß. Aber das soll man ihnen nicht zum Vorwurf machen. Sie kommen aus einem riesigen Land, wo das Öl und das Gas, einfach so, in Fontänen aus dem granithart gefrorenen Boden schießen. Da fällt es ihnen schwer zu begreifen, wie eng unsere Täler sind. Anders die Deutschen: Aus deutschem Eisen haben sie unten am Taleingang eine Brücke über die Druschka gebaut. Tausendmal schöner ist sie als die alte, deren Quader ein Volltreffer zerkrümelt hat, und kein bißchen zu groß oder zu klein.

Die Druschka war dieses Jahr schon kurz nach Ostern ausgetrocknet. Den ganzen Sommer glühten die Kiesel im Flußbett, unsere Kinder hätten Fische darauf gebraten, doch ohne Wasser kein Fisch. Alle im Dorf haben dem Bürgermeister geglaubt, wie er in einer feurigen Rede den Feind beschuldigt hat, uns hinter den Bergen das Wasser abzugraben. Dabei hätten zumindest die Alten wissen müssen, daß ein solcher Wassermangel schon früher vorgekommen ist. Als unser Girko ein Junge war, blieb die Druschka einmal drei Jahre hintereinander trocken. Wasser gab es nur noch an einer kümmerlichen Felsenquelle unterhalb des Adlerschnabels. In Säcken aus eingefettetem Ziegenleder trugen Girko und sein kleiner Bruder das kostbare Naß zu den Kühen auf die Weide. Die Quelle versiegte für immer, sobald die Druschka plötzlich wieder Wasser führte, aber vorigen Monat ist der kleine Deutsche fast genau unter dem Felsen auf eine Wasserader gestoßen.

Am Adlerschnabel folgte der alte Girko dem Schafspfad, und wie er oben aus dem Birkendickicht auf den nackten Felsen trat, schob sich die Sonne durch den Dunst. Er setzte sich ein Weilchen, gönnte dem Knie eine Pause und schaute auf unseren Wald hinunter. Bei uns wächst das Holz schneller nach, als wir es schlagen können, und wer mit Gefühl durch unseren Wald schleicht, kann die Fasane mit bloßen Händen fangen. Daß unser Wald ein guter Wald ist, braucht uns daher niemand zu sagen. Wie schön er jedoch ist, wissen wir erst von den Deutschen. Ah! und Oh! hat der kleine Blonde gerufen und den Adlerschnabel den schönsten Aussichtspunkt der ganzen Welt genannt. Selbst nachdem er mehr Wasser als nötig aufgespürt hatte und dem Tal drei neue

Brunnen geschenkt worden waren, hörte er nicht auf, in den Bergen umherzustreifen. Einmal hatte ihn Girko dabei getroffen, und dort, wo sie sich begegnet waren, hoffte ihn unser Schlaukopf jetzt zu finden.

Die alte Lehmgrube liegt oben, an der neuen Grenze. Wir sind nur ein Völkchen, aber seit dem Krieg haben wir mächtige Feinde. Es sind unsere ehemaligen Nachbarn, und über den Nordkamm verläuft die Grenze, die uns jetzt von ihnen scheidet. Wahrscheinlich stünden sie immer noch da, bis an die Zähne bewaffnet, und schössen ihre pfeifenden Granaten ins Tal, wenn die Amerikaner es ihnen nicht verboten hätten. Die Amerikaner haben überall im Weltraum Satellitenaugen und viele Atomraketen auf dem Mond, mit denen sie jedes Fleckchen auf der Erde treffen können. Nur weil es der amerikanische Präsident ihm befohlen hatte, mußte sich unser Feind ein Stück hinter die vorgeschriebene Linie zurückziehen, und dort knirscht er nun mit den Zähnen.

An der alten Lehmgrube war im vergangenen Herbst Girkos einziger Bruder totgeschossen worden, und Girko wäre nie mehr hingegangen, wenn er nicht sicher gewesen wäre, den kleinen Deutschen an diesem Ort zu finden. Die Grube ist nichts weiter als ein rundes Loch, so groß, daß eines unserer Häuschen hineinpassen würde, so tief, daß man ein zweites darüberstellen könnte. Die Lehmwände sind steil und durchsetzt von brüchigem Schiefer. Wir hatten unsere Toten, Girkos Bruder und die neun anderen, mit Stricken nach oben gezogen.

An einem Seil war auch der kleine blonde Deutsche in die Grube gehangen, als unser Girko ihn getroffen hatte.

Girko, der an der Grenze beim Pilzesammeln gewesen war, hatte das Klopfen von weitem gehört. Der Kleine hatte sich halb in die Tiefe abgeseilt und schlug mit einem Hämmerchen den Schiefer aus der Grubenwand. Auch unsere Leute wußten schon immer, daß seltsame Blätter und riesige Schnecken aus früheren Zeiten im Schiefer der Grube versteinert sind. Nie jedoch wäre einer auf die Idee gekommen, solche Steine ins Dorf zu schleppen. Wie verrückt man nach dem Vergangenen sein kann, haben wir erst an den Deutschen kennengelernt. Den Soldaten aus Deutschland, heißt es bei uns inzwischen, könne man jeden rostigen Nagel als antike Kostbarkeit verkaufen.

Die Deutschen haben gute Stricke, vielleicht die besten der Welt. Aber der Schiefer in unserer alten Lehmgrube besitzt messerscharfe Kanten. Girko hatte dem kleinen Blonden gezeigt, wo sein erstklassiges Seil schon ein bißchen durchgescheuert war. Wir sind nur ein Völkchen, keiner außer uns spricht unsere Sprache, also können sich unsere Kinder wie unsere Alten einem Fremden notfalls mit Händen und Füßen verständlich machen. Girko hatte dem kleinen Deutschen erklärt, daß er in Lebensgefahr schwebe, doch der hatte nicht aufgehört, vor der Wand hin und her zu pendeln, auf der Suche nach seinen versteinerten Schnecken. Deshalb stand für Girko jetzt fest, daß der Deutsche tot war.

Und wirklich, als er gegen Mittag an der Lehmgrube ankam und sich über deren Rand beugte, baumelte das deutsche Seil abgerissen in halber Höhe. Unten war allerdings nichts vom kleinen Blonden zu sehen. Er ist wohl, dachte sich Girko, nicht gleich tot gewesen und hat noch versucht, hinten, am Schotterhang, aus der Grube zu kriechen. So ein Deutscher ist zäh wie ein Kater, auch wenn die Deutschen natürlich, im Unterschied zu unseren Katzen, wie alle Menschen nur ein Leben haben.

Girko ging um die Grube herum und kletterte den Hang hinunter. Auch mit zwei gesunden Knien wäre das kein Kinderspiel gewesen. Der Schieferbruch ist glatt und locker, der Lehm eine einzige Schmiere. Den kleinen Birken, die darauf wurzeln, darf man nicht trauen. Das Brombeerdickicht, das er durchsuchte, riß unserem Girko Hose und Hemd kaputt. Und als er schließlich, mit blutigen Händen, unten in der Grube stand, hatte er keine Leiche, sondern nur das Hämmerchen des Deutschen und, oben am Rand des Abhangs, einen Weidenkorb, voll mit Pilzen, entdeckt.

Girko ist ein alter Fuchs, der von vielem etwas versteht, und wenn es um Beeren und Pilze geht, kann ihm kaum einer das Wasser reichen. Er sah den Pilzen an, daß sie schon vor ein paar Tagen geschnitten worden waren und daß sie eine Person gesammelt hatte, die etwas davon verstand. So vielfältig und fehlerlos war die Auswahl, als hätte er sie selbst getroffen. Das läßt niemand samt einem guten Korb einfach im Wald zurück, dachte sich Girko. Es sei denn, er – oder besser gesagt: sie! – braucht beide Arme, um noch Wichtigeres zu schleppen.

Ja, die Deutschen sind es gewesen, die unsere neue Grenze vermessen haben. Überall am Nordkamm schlugen sie Pflöcke in den Boden, damit wir genau wissen, wo unser Land jetzt endet und das Feindesland beginnt. Es sind sehr schöne Pflöcke, Eisenstäbe mit Kunststoff ummantelt, die Spitze und der Kopf vernickelt. Stäbe, bei denen einem von uns auf den ersten Blick einfällt, wozu er sie gebrauchen kann. Und unseren ehemaligen Nachbarn, den Feinden, geht es da nicht anders. So ist es kein Wunder, daß man heute, nach einem knappen Jahr, schon Glück braucht, um noch einen der deutschen Pfähle zu entdecken.

Unser Girko brauchte keinen Pflock, um sich zurechtzufinden. Das Haus der alten Tona, das seit dem Krieg im Feindesland liegt, hätte er auch in finsterster Nacht auf kürzestem Weg anzusteuern gewußt. Als er am späten Nachmittag, es wurde bereits wieder neblig, aus dem Krüppeleichenwäldchen trat und das schmucke zweistöckige Gebäude, das die Witwe allein bewohnt, am gegenüberliegenden Hang sehen konnte, war ihm, das hat er später zugegeben, ganz schön mulmig zumute.

Und zwar wegen Tona. Sie ist etwa in Girkos Alter, aber was bei unseren Männern eine sichere Sache ist, die Lebenszeit jenseits der Fünfzig, bei unseren Frauen führt sie nur zu einer weiteren, noch größeren Ungewißheit. Dreimal war Tona verheiratet, zuerst mit einem von uns und dann noch zweimal mit welchen von denen, die jetzt unsere Feinde sind. Von jedem Mann hat sie einen Sohn bekommen. Alle drei Söhne sind ins Ausland gegangen, in drei verschiedene Länder, und haben dort Ausländerinnen geheiratet. Sogar bei den Deutschen hat Tona Enkel: Zwillingsmädchen. Das muß man sich erst einmal vorstellen.

Aber nicht die ausländischen Schwiegertöchter und die deutschen Enkel der Tona haben unseren Girko eingeschüchtert, als er den Kiesweg zu ihrem stolzen Anwesen hinaufstapfte. Nicht der Anblick des neuen Autos, das sie in der Garage stehen hatte, und nicht die große Satellitenantenne auf dem Dach, sondern eine alte einheimische Geschichte ließ ihm das böse und auch das gute Knie weich werden. Als sie jung gewesen waren, hatten er und Tona sich eines Nachmittags beim Pilzesammeln getroffen, im Birkengestrüpp. Und da hatten sie, obwohl sie beide frisch verheiratet gewesen waren, einem tiefen Verlangen, wie es bei uns im Wald plötzlich entstehen kann, nachgegeben.

Die alte Tona jedoch empfing ihn ganz unbefangen, so, als wäre er in den letzten vierzig Jahren regelmäßig auf einen Plausch vorbeigekommen. Sie freute sich sehr, daß er ihr den Korb bis über die Grenze nachgetragen hatte, bat ihn ins Wohnzimmer und holte zu trinken. Um es kurz zu machen: Auf der Couch in Tonas guter Stube saß der Deutsche. Girko erkannte den Kleinen sofort, obwohl der einen Pullover von Tona trug, obwohl sein abgemagertes Gesicht voller roter Bartstoppeln war und ein weißer Turban aus Mullbinden seinen Kopf bis über die Augenbrauen verhüllte.

Girko sagt, er habe den kleinen Blonden an dessen Nase erkannt. Das leuchtet jedermann ein, denn der Deutsche hat einen gewaltigen Zinken. Mit dem riecht er das Wasser! hieß es von Anfang an. Und die teuren Geräte habe er nur mitgeschleppt, damit der dämliche Sohn unseres Bürgermeisters damit spielen könne. Und von

Tona wissen wir jetzt, daß es sich mit der Nase tatsächlich so verhält. Denn bei ihr hat der Kleine gleich am ersten Morgen, als er noch auf allen vieren zum Klo kriechen mußte, eine Wasserader gerochen, die schräg unter dem Haus verläuft. Tona schob sofort ihr Bett auf die andere Seite des Zimmers und schlief schon die nächste Nacht so wunderbar fest wie zuletzt als junges Mädchen. Daran sieht man: Sogar wenn ihnen der Kopf erschüttert ist, sind die Deutschen nicht um einen guten Rat verlegen.

Tona erklärte unserem Girko, es gehe dem Kleinen schon besser, am Morgen habe er erstmals eine Portion Haferschleim bei sich behalten, und vorhin sei er an ihrem Arm eine Runde durch den Garten spaziert, ohne daß ihn ein Schwindel gepackt habe. Trotzdem sitze ihm der Schreck noch im Gemüt. Wenn sie nicht gerade mit ihm spreche, hocke er mit traurigem Gesicht da und brüte vor sich hin. Offensichtlich seien die Deutschen, deren Knochen das Fallen vorzüglich vertrügen, in der Seele leichter zu beschädigen als wir.

Tona hatte deswegen mit ihrem Sohn und ihrer Schwiegertochter in Berlin – so heißt die Hauptstadt der Deutschen! – telefoniert. Und die hatten ihr geraten, heute abend den Fernseher einzuschalten. Wir sind nur ein Völkchen, aber vom Fußball verstehen wir genausoviel wie die großen Nationen. Der Sohn eines Vetters von Girko hat es, auf dem Umweg über eine Mannschaft in der nächsten Stadt unserer Nachbarn, die jetzt unsere Feinde sind, bis in die zweite englische Liga geschafft. Er sagt, wer auf unseren holprigen Plätzen um die Steine herumzuspielen gelernt habe, den könne auf englischem Rasen kein Engländer mehr aufhalten.

Um es ganz kurz zu machen: Die beiden Alten haben mit der deutschen Nase in Tonas Satellitenfernseher ein Länderspiel der deutschen Fußballnationalmannschaft angesehen. Unser Girko hat es inzwischen unzählige Male erzählt, aber man hätte wohl selbst auf Tonas Wohnzimmercouch sitzen müssen, um das Geschehen völlig zu begreifen. Girko sagt, erst vor dem Fernseher habe er einen richtigen Eindruck von den Deutschen bekommen, obwohl sie schon ein Jahr hier bei uns im Schutzgebiet seien und ein jedes Kind sie zu kennen glaube. Kaum habe seine Heimatmannschaft das erste Tor geschossen, blühte der kleine Blonde richtig auf. Wie aus den Brunnen, die er gebohrt hatte, sprudelte es aus ihm heraus! Und Tona, die über ihre Schwiegertochter und ihre Enkelinnen ein bißchen Deutsch gelernt hatte, übersetzte unserem Girko, was sie verstand.

Man muß sich folgendes vor Augen führen: Noch vor einem Dutzend Jahren hatten die Deutschen keine gemeinsame Ländermannschaft! Dieses Deutschland war nämlich lange, ungefähr hundert Jahre, in zwei Teile zerschnitten. Und diese halben Länder standen sich spinnefeind gegenüber, an einer Grenze, die nicht nur mit Pflöcken markiert war, sondern eine riesige Betonmauer trug. Und wenn ein Deutscher hinüberklettern wollte, schoß ihn ein anderer Deutscher von der Leiter herunter.

Irgendwie haben die Deutschen es dann aber doch hingekriegt, daß sie wieder zusammenkamen. Die ganze ungeheure Mauer wurde abgebrochen, und jetzt spielen sie Fußball in einer Nationalmannschaft. Girko sagt, wenn jemand von uns bei so einem Länderspiel zuschaue, brauche er einen Deutschen, der ihm erkläre, welcher Spieler auf welcher Seite der alten Trennmauer aufgewachsen sei. Bei uns zerstechen sich noch die Enkel gegenseitig die Autoreifen, weil ihre Großväter als junge Männer um ein Huhn gestritten haben. Aber da im Fernseher gab ein jeder – nach gerade mal zwölf gemeinsamen Jahren! – einem jeden den Ball ab. So brav sind die Deutschen.

Hier im Tal sind jetzt alle stolz auf unseren Girko, darauf, daß es ihm gelungen ist, der klugen Tona die deutsche Nase abzuluchsen. Nach dem Länderspiel – die Deutschen hatten zwei zu eins gewonnen – war es um das Gemüt des kleinen Blonden deutlich besser bestellt, dennoch mußte Girko weitere drei Tage und drei Nächte bleiben, bis Tona ihn freigab. Rückblickend lobt Girko die Amerikaner: Ohne die amerikanische Bandage hätte ihm schon in der ersten Nacht sein böses rechtes Knie einen Strich durch die Rechnung gemacht. In Tonas Witwenbett nämlich hat er den Deutschen für sich und sein Bruderkind erobert. Sogar noch den langen Weg zurück über die Grenze hat die amerikanische Bandage gehalten. Aber als unser Girko mit dem kleinen Blonden dann bei seiner Nichte eintraf, war das Knie dick wie ein Fußball.

Bettlägrig ist er seitdem. Der amerikanische Militärarzt will ihn in die USA fliegen lassen, in ein Krankenhaus, wo man von früh bis spät nichts anderes tut, als kaputte Knie auseinanderzubauen, zu reparieren und wieder zusammenzusetzen. Aber Girko sagt, er könne jetzt nicht weg, er müsse, zumindest vom Bett aus, die Sache mit seiner Nichte und dem kleinen Blonden im Auge behalten. Als er mit dem Deutschen bei ihr eingetroffen sei, habe sie gleich ihr störrisches Gesicht geschnitten und nicht einsehen wollen, daß die Nase erst eine Nacht bei ihr übernachten solle, bevor er zurück zu seinen Landsleuten gebracht werde. Ein Glück, daß es schon fast dunkel war und daß es, als sie vor der Haustür seiner Nichte standen, eiskalt zu regnen und schließlich sogar zu schneien begann. Selbst eine Kratzbürste wie seine Nichte hätte da keinen Hund, geschweige denn einen Deutschen, von der Schwelle gewiesen.

Die ganze restliche Woche ist der kleine Blonde bei ihr geblieben. Der Fußmarsch über die Grenze hatte ihn arg erschöpft. Er bekam einen Rückfall, Fieber und Kopfweh, und bis heute wirft er einiges aus der jüngsten Vergangenheit durcheinander. Felsenfest glaubt er, Girkos Nichte habe ihn in der Lehmgrube gefunden und gesund gepflegt. Jetzt kommt er sie täglich besuchen und bringt ihr Geschenke mit, deutsche Pralinen zum Beispiel. Girko hat davon probiert, er sagt, sie seien köstlich. Viel besser als die amerikanische Schokolade, von der russischen nicht zu reden. Wer hätte das von den Deutschen gedacht, daß sie auch noch die besten Pralinen machen.

Nun ist es allerdings so: Jeder kann sehen, daß der Blonde mindestens einen Kopf kleiner ist als Girkos Nichte. Sie ist nicht nur störrisch wie eine Ziege, sondern auch lang wie eine Hopfenstange. Einen von uns, einen unserer Männer würde es stören, wenn seine Braut aus einer solchen Höhe auf ihn herunterschaute. Girko sagt, daß sein zukünftiger Schwiegerneffe gleichmütig damit umgehe, liege an seiner Nase. So einen Zinken habe weit und breit keiner, und jeder Mensch mit Erfahrung wisse, was eine große Nase bei einem Mann bedeute.

Wir denken eher, daß die Deutschen, auch die mit den kleineren Nasen, ein besonderes Selbstvertrauen besitzen. Man muß nur an die Geschichte mit der Mauer denken. Schließlich hat dieses Volk lange Schlimmes durchgestanden und dann zu einem guten Ende gebracht. Deshalb ängstigt sich einer von denen auch nicht so schnell vor unseren Frauen, wie wir es tun. Nicht einmal vor Girkos Nichte, die wahrlich zum Fürchten ist, bekommt ein Deutscher weiche Knie.

Aber vielleicht hat auch Girko recht. Man darf die Gründe – das sagt schon ein Sprichwort! – nicht wie zwei Böcke gegeneinanderjagen. Und manchmal gehören Dinge zusammen und wachsen zusammen, die noch weiter auseinanderliegen als der Scheitel von Girkos Nichte und der blonde Schopf ihres Verehrers. Wir hier im Schutzgebiet, wir lieben die Deutschen, und mit etwas Glück wird noch der eine oder andere von uns sein Glück mit ihnen machen.